워크북 정답 및 해설집

그림으로 쉽게 이해되는 영어 문장 핵심 원리

한국식 영문법 말고

원어민식 그림

영문법

안 해 순 지음

워크북 정답 및 해설집
한국식 영문법 말고 원어민식 그림 영문법

발 행 | 2024년 03월 25일
저 자 | 안해순
펴낸이 | 한건희
펴낸곳 | 주식회사 부크크
출판사등록 | 2014.07.15.(제2014-16호)
주 소 | 서울특별시 금천구 가산디지털1로 119 SK트윈타워 A동 305호
전 화 | 1670-8316
이메일 | info@bookk.co.kr

ISBN | 979-11-410-7738-9

워크북 정답 및 해설집
한국식
영문법
말고
원어민식
그림
영문법

안 해 순 지음

CONTENTS

연습문제 1.

▌정답

① I'll give you my apple.

② No other boy in the world can paint as well as me.

③ Tom agreed with a long face, but with a joyous heart.

④ Tom came outside with a can of white paint and a brush.

⑤ Christmas is an important rime for sharing and celebration.

▌해석

① (직독) 내가 줄게 너에게 내 사과를.

　(의역) 내가 너에게 내 사과를 줄게.

② (직독) 다른 소년들이 이 세상에서 페인트칠 할 수 없다 나만큼 잘.

　(의역) 이 세상 다른 소년들은 나만큼 페인트 칠을 잘 할 수 없다.

③ (직독) Tom은 동의했다 화난 표정으로, 그러나 기쁨에 넘치는 심정으로.

　(의역) Tom은 화난 표정으로 동의했으나 실제 마음은 기쁨으로 넘쳤다.

④ (직독) Tom이 나왔다 밖으로 흰색 페인트 통과 붓을 들고.

　(의역) Tom이 흰색 페인트 통과 붓을 들고 밖으로 나왔다.

⑤ (직독) Christmas는 중요한 시기이다 나눔과 기념을 위한.

　(의역) Christmas는 나눔과 기념을 위한 중요한 시기이다.

▌해설

영어: 주어에서 출발해서 행위(동사)를 쓰고 행위의 대상(목적어)을 씀. (직진하는 언어)

우리말: 주어에서 출발해서 행위의 대상(목적어)을 쓰고 다시 행위(동사)로 돌아옴. (유턴하는 언어)

영어: 주어　+ 동사　+ 대상

I　　 like　　 apples.

우리말: 주어　+ 대상　+ 동사

나는　 사과를　 좋아한다.

▌어휘

as ~ as 똑같이 ~하다.　 with a long face 화난 얼굴로　 share 나누다　 celebration 기념

P.10

▌정답

①

> When the day is over, I return home V I share stories from my day with my family over a delicious dinner V Afterward, I might watch TV, read a book, or spend time on hobbies V It's a peaceful time to unwind and reflect on the events of the day V

②

> Friends are special people who make me happy V We play together, share secrets, and help each other when we're sad V Having good friends makes life more fun and enjoyable V

③

> Mark Twain is one of the America's best-loved writers V His novels, especially The Adventures of Tom Sawyer(1876) and The adventures of Huckleberry Finn (1885), are still very popular V

▌해석

①

(직독) 하루 일이 끝나면, 나는 집으로 돌아온다. 나는 이야기를 나눈다 그 날 있었던 나의 가족과 맛있는 저녁을 먹으며. 그 이후, 나는 TV를 보거나 책을 읽거나, 취미 거리에 시간을 보낼 수도 있다. 아주 평화로운 시간이야 긴장을 풀고 하루의 일을 되돌아 보기에 좋은.

(의역) 하루 일이 끝나면 나는 집으로 돌아온다. 맛있는 저녁을 먹으며 그날 있었던 일들을 가족과 나눈다. 그 이후, 나는 TV를 보거나 책을 읽거나, 취미 거리에 시간을 보낼 수도 있다. 그 시간은 긴장을 풀고 하루의 일을 되돌아 보기에 좋은 평화로운 때이다.

②

(직독) 친구들은 특별한 사람들이다 만드는 나를 행복하게. 우리는 함께 놀고, 비밀을 공유하고, 서로 서로 돕는다 우리가 슬플 때. 좋은 친구들을 가지는 것은 만든다 삶을 더 재미있고 즐길만하게.

(의역) 친구들은 나를 행복하게 만드는 특별한 사람들이다. 우리는 함께 놀고, 비밀을 나누고, 슬플 때 서로를 도와준다. 좋은 친구들을 가지는 것은 삶을 더 재미있고 즐길만하게 만든다.

③

(직독) Mark Twain은 한 명이다 중에 미국의 가장 사랑받는 작가들 중에. 그의 소설들, 특히 Tom Sawyer의 모험 (1876)과 Huckleberry Finn의 모험 (1885)은 여전히 아주 인기가 있다.

(의역) Mark Twain은 미국의 가장 사랑받는 작가들 중에 한 명이다. 그의 소설들 특히 Tom Sawyer의 모험 (1876)과 Huckleberry Finn의 모험 (1885)은 여전히 아주 인기가 있다.

▌해설

문장의 끝은 의미의 완결을 의미한다. 각 문장은 주어, 동사를 중심으로 어떤 행위와 관련하여 필수적으로 전달되어야 할 세부 사항들(목적어- 대상물/ 보어- 보충해서 와야 할 말)이 다 전달되고 나면 각 문장은 끝맺음의 표시인 마침점을 찍을 수 있다.

▌어휘

afterward 그 이후   unwind 긴장을 풀다   reflect on~ 되돌아 보다   secret 비밀
best-loved 가장 사랑받는   novel 소설

P.11

┃ 정답

① I buy it │although│ I don't need it.

② │Before│ you go shopping, make a shopping list.

③ │If│ you set a goal for yourself, it will be easier to limit your spending.

④ In sports, only the players get a trophy, │but│ they don't win on their own.

⑤ Changing the tires is especially important │because│ the tires wear out easily in a high speed race.

┃ 해석

① (직독) 나는 산다 그것을 비록 내가 필요로 하지 않지만 그것을.

　(의역) 나는 그것을 산다 비록 내가 그걸 필요로 하지 않지만.

② (직독) 가기 전에 너가 쇼핑하러, 만들어라 쇼핑 리스트를.

　(의역) 너가 쇼핑하러 가기 전에, 쇼핑 리스트를 만들어라.

③ (직독) 만약 너가 세운다면 목표를 너를 위해, 그것은 더 쉬울 거야 제한시키는 것이 너의 소비를.

　(의역) 만약 너가 너를 위해 목표를 세운다면, 너의 소비를 제한시키기는 것이 더 쉬울 거야.

④ (직독) 스포츠에서, 단지 선수들만 받는다 트로피를, 하지만 그들은 승리 할 수 없다 혼자 힘으로.

　(의역) 스포츠에서 단지 선수들만 트로피를 받지만 그들은 혼자 힘으로 승리할 수 없다.

⑤ (직독) 바꾸는 것을 타이어를 특히 중요하다 왜냐하면 타이어가 마모되기 때문에 쉽게 고속에서.

　(의역) 타이어를 바꾸는 것은 특히 중요하다 왜냐하면 고속에서 타이어가 쉽게 마모되기 때문에.

┃ 해설

두 문장의 경계 지점에 접속사 (딱풀)이 온다. 두 번째 주어 바로 앞에 오는 것이 바로 접속 사이다. 하지만 접속사가 데려오는 문장이 맨 앞쪽으로 갈 수도 있는데 이는 말하는 사람이 이 부분을 더 강조하고 싶을 때이다. 그런 경우(②, ③)는 반드시 중간에 콤마(,)를 찍어서 문 장의 경계를 표시해야 한다.

┃ 어휘

although 비록~일지라도　limit 제한시키다　on one's own 혼자 힘으로　wear out 마모되다

P.12

┃ 정답

① I like ⟨to buy⟩ things on sale.

② ⟨Buying⟩ things on sale is good.

③ They are designed ⟨to work⟩ for humans.

④ You can save money faster ⟨to buy⟩ the ticket.

⑤ By ⟨following⟩ the rule, you can manage your money better.

▌해석

① (직독) 나는 좋아한다 사기를 물건을 세일 중에 있는.
  (의역) 나는 세일 중에 있는 물건을 사기를 좋아한다.

② (직독) 물건을 사는 것은 세일 중에 있는 좋다.
  (의역) 세일 중에 있는 물건을 사는 것은 좋다.

③ (직독) 그들은 디자인 되었다 일하도록 인간을 위해.
  (의역) 그들은 인간을 위해 일하도록 디자인 되었다.

④ (직독) 너는 할 수 있다 돈을 저축하기를 더 빨리 사기 위해 그 티켓을.
  (의역) 너는 그 티켓을 사기 위해 더 빨리 돈을 저축할 수 있다.

⑤ (직독) 따름으로써 규칙을, 너는 운영할 수 있다 돈을 더 잘.
  (의역) 규칙을 따름으로써, 너는 돈을 더 잘 운영할 수 있다.

▌해설

동사에서 온 말이지만 각 문장에서 문장의 동사가 아니라면 형태 변형을 시켜야 한다. 그렇지 않으면 어떤 것이 문장의 동사인지 구별하기 힘들기 때문이다. 이런 형태 변형은 대체로 <동사 원형ing>, <to 동사원형>이고 가끔씩 <동사원형> 그대로 쓰기도 한다. 형태 변형에 대한 원리는 <Day 4>에 안내되어 있다.

▌어휘

on sale 할인 중에 있는   manage 운영하다

Day 2. 영어 문장 패턴

p. 16

연습문제 1.

▌정답

① He speaks softly.

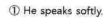

② She runs quickly.

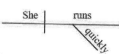

③ They dance gracefully.

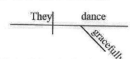

④ The wind blows gently.

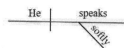

⑤ The dog barks loudly.

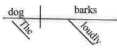

⑥ The baby giggles happily.

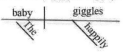

⑦ A big dog was in the yard.

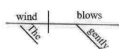

⑧ The sun shines brightly.

⑨ The flowers bloom beautifully.

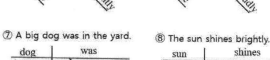

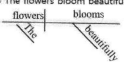

⑩ The cat is sleeping peacefully.

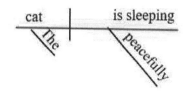

▌해석

① (직독) 그는 말한다 부드럽게.
   (의역) 그는 부드럽게 말한다.

② (직독) 그녀는 달린다 빨리.
   (의역) 그녀는 빨리 달린다.

③ (직독) 그들은 춤 춘다 우아하게.
   (의역) 그들은 우아하게 춤 춘다.

④ (직독) 바람이 분다 부드럽게.
   (의역) 바람이 부드럽게 분다.

⑤ (직독) 개가 짖는다 크게.
   (의역) 개가 크게 짖는다.

⑥ (직독) 아이가 깔깔 웃는다 행복하게.
   (의역) 아이가 행복하게 깔깔 웃는다.

⑦ (직독) 큰 개 한 마리가 있다 뜰에.
   (의역) 큰 개 한 마리가 뜰에 있다.

⑧ (직독) 태양이 빛난다 밝게.
   (의역) 태양이 밝게 빛난다.

⑨ (직독) 꽃이 핀다 아름답게.
　(의역) 꽃이 아름답게 핀다.
⑩ (직독) 고양이가 자고 있다 평화롭게.
　(의역) 고양이가 평화롭게 자고 있다.

▎해설

위의 문장들은 공통적으로 주어 + 동사 + 부사어 (when, where, why, how에 해당하는 말)로 구성되어 있다.

▎어휘

gracefully 우아하게　bark 짖다　giggle 깔깔 웃다　yard 뜰　bloom 꽃피다　peacefully 평화롭게

p. 17

연습문제 2.

▎정답

① He feels sad.

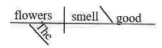

② They are tired.

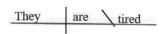

③ The flowers smell good.

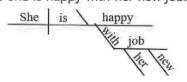

④ She seems his favorite child.

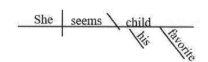

⑤ She is happy with her new job.

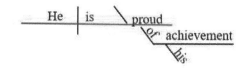

⑥ The laptop on the table is broken.

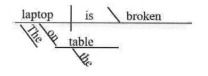

⑦ He is proud of his achievement.

⑧ We are worried about the test tomorrow.

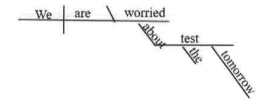

⑨ They are disappointed with the results.　⑩ She has been angry with us for three days.

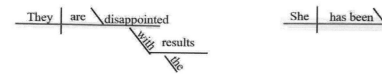

┃ 해석

① (직독) 그는 느낀다 슬프게.
　(의역) 그는 슬프다.

② (직독) 그들은 이다 피곤한.
　(의역) 그들은 피곤하다.

③ (직독) 그 꽃들이 냄새 난다 좋게.
　(의역) 그 꽃들이 향기가 좋다.

④ (직독) 그녀는 인 듯하다 그가 가장 좋아하는 아이.
　(의역) 그녀는 그가 가장 좋아하는 아이인 듯 하다.

⑤ (직독) 그녀는 행복해한다 그녀의 새 직업에
　(의역) 그녀는 그녀의 새 직업에 행복해한다.

⑥ (직독) 노트북 그 책상 위에 있는 고장 났다.
　(의역) 그 책상 위에 있는 노트북이 고장 났다.

⑦ (직독) 그는 자랑스러워한다 그의 업적을
　(의역) 그는 그의 업적을 자랑스러워한다.

⑧ (직독) 우리는 걱정이 된다 내일 시험에 대해
　(의역) 우리는 내일 시험에 대해 걱정이 된다.

⑨ (직독) 그들은 실망하고 있다 그 결과에 대해
　(의역) 그들은 그 결과에 대해 실망하고 있다.

⑩ (직독) 그녀는 화가 나있다 우리에게 3일 동안.
　(의역) 그녀는 우리에게 3일동안 화가 나있다.

┃ 해설

위의 문장들은 공통적으로 주어 + 동사 + 필수 보충어 (주어에 대해 필수적으로 추가되어야 하는 말)로 구성되어 있다.

┃ 어휘

seem ~인듯하다　laptop 노트북　broken (break-broke-broken) 고장난　be proud of ~를 자랑스럽게 여기다　achievement 업적　worried (worry-worried-worried) 걱정스런 disappointed with~ 에 대해 걱정된　result 결과

p. 18

▌정답

① They ate a delicious meal.

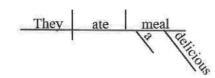

② I bought a beautiful dress.

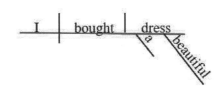

③ He watched a thrilling movie.

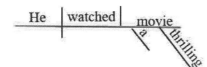

④ She reads an interesting book.

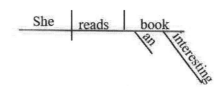

⑤ The cat caught a small mouse.

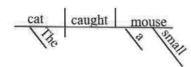

⑥ We visited a fascinating museum.

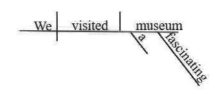

⑦ We attended a cheerful birthday party.

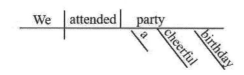

⑧ She wrote a heartfelt letter to her friend.

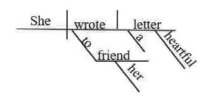

⑨ The students solved a difficult math problem.

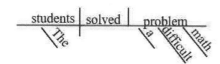

⑩ She reads a fascinating book quietly in the cozy corner.

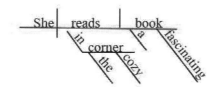

▌해석

① (직독) 그들은 먹었다 맛있는 식사를
　　(의역) 그들은 맛있는 식사를 했다.
② (직독) 나는 샀다 아름다운 드레스를
　　(의역) 나는 아름다운 드레스를 샀다.
③ (직독) 그는 시청했다 스릴넘치는 영화를.
　　(의역) 그는 스릴넘치는 영화를 시청했다.
④ (직독) 그녀는 읽는다 재미있는 책을.
　　(의역) 그녀는 재미있는 책을 읽는다.
⑤ (직독) 그 고양이는 잡았다 작은 쥐 한 마리를.
　　(의역) 그 고양이는 작은 쥐 한 마리를 잡았다.
⑥ (직독) 우리는 방문했다 멋진 박물관을.
　　(의역) 우리는 멋진 박물관을 방문했다.
⑦ (직독) 우리는 참석했다 즐거운 생일 파티를.
　　(의역) 우리는 즐거운 생일 파티에 참석했다.
⑧ (직독) 그녀는 썼다 진심어린 편지를 그녀의 친구에게.
　　(의역) 그녀는 그녀의 친구에게 진심어린 편지를 썼다.
⑨ (직독) 그 학생들은 풀었다 어려운 수학 문제 하나를.
　　(의역) 그 학생들은 어려운 수학 문제 하나를 풀었다.
⑩ (직독) 그녀는 읽는다 매력적인 책을 조용하게 아늑한 구석에서.
　　(의역) 그녀는 아늑한 구석에서 조용하게 재미있는 책을 읽고 있다.

▌해설

위의 문장들은 공통적으로 주어 + 동사 + 목적어 (동사, 즉 행위의 대상이 되는 말)로 구성되어 있다. 그리고 동사 난 목적어에 대한 세부 사항이 곁가지로 추가되어 있다.

▌어휘

caughht (catch-caught-caught) 잡다　fascinating 매력적인　attend 참석하다　cheerful 흥겨운　solve 풀다　cozy 아늑한

연습문제 4.

▌정답

① They sent me a funny video.

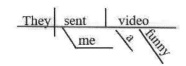

② I bought my sister a stylish dress.

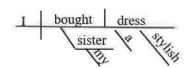

③ She gave her friend a thoughtful gift.

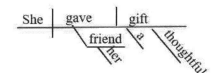

④ They lent their neighbor a helping hand.

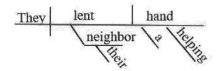

⑤ She wrote her boyfriend a heartfelt letter.

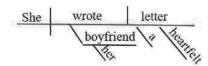

⑥ He showed his parents a beautiful painting.

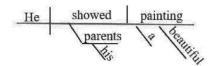

⑦ He offered the children some tasty treats.

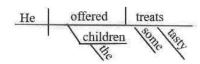

⑧ We showed our friends a new workout routine.

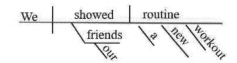

⑨ The waiter brought the customers a delicious meal.

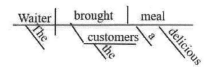

⑩ We handed the teacher our completed assignments.

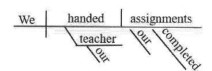

① (직독) 그들은 보내줬다 나에게 웃긴 영상을.
(의역) 그들은 나에게 웃긴 영상을 보내줬다.

② (직독) 나는 사줬다 내 여동생에게 스타일리쉬한 드레스를.
(의역) 나는 내 여동생에게 스타일리쉬한 드레스를 사줬다.

③ (직독) 그녀는 줬다 그녀의 친구에게 사려깊은 선물을.
(의역) 그녀는 그녀의 친구에게 사려깊은 선물을 줬다.

④ (직독) 그들은 빌려줬다 그들의 이웃에게 도움의 손길을.
(의역) 그들은 그녀의 이웃에게 도움의 손길을 줬다.

⑤ (직독) 그녀는 썼다 그녀의 남자 친구에게 진심어린 편지를.
(의역) 그녀는 그녀의 남자 친구에게 진심어린 편지를 썼다.

⑥ (직독) 그는 보여줬다 그의 부모님에게 아름다운 그림을.
(의역) 그는 그의 부모님에게 아름다운 그림을 보여줬다.

⑦ (직독) 그는 제공했다 아이들에게 얼마의 맛있는 먹거리를.
(의역) 그는 아이들에게 얼마의 맛있는 먹거리를 제공했다.

⑧ (직독) 우리는 보여줬다 친구들에게 새로운 운동 루틴을.
(의역) 우리는 친구들에게 새로운 운동 루틴을 보여줬다.

⑨ (직독) 그 웨이터는 가져다줬다 손님에게 맛있는 식사를.
(의역) 그 웨이터는 손님에게 맛있는 식사를 가져다줬다.

⑩ (직독) 우리는 건네줬다 선생님에게 우리의 완성된 과제물을.
(의역) 우리는 선생님에게 우리의 완성된 과제물을 건네줬다.

■ 해설

위의 문장들은 공통적으로 주어 + 동사 + 목적어 (동사, 즉 행위의 직접적인 대상이 되는 말)로 구성되어 있다. 그리고 누구에게 주는 지에 대한 정보가 세부 사항으로 곁가지에 추가되어 있다.

■ 어휘

sent (send-sent-sent: 보내다) 보냈다   bought (buy-bought-bought) 사줬다   thoughtful 사려깊은   lent(lend-lent-lent 대여해줬다   helping had 도움의 손 (도움)   heartfelt 진심어린   offer 제공하다 tasty 맛있는   treat 먹거리   workout 운동   routine 루틴(반복되는 일)   brought (bring-brought-brought 가져오다)   customer 손님   hand 건네주다   completed 완성된   assignment 과제물

p. 20

┃ 정답

① They called him a hero.

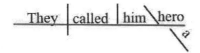

② She painted the wall blue.

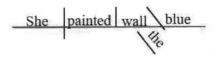

③ They named the baby Ethan.

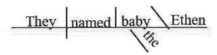

④ The jury declared him guilty.

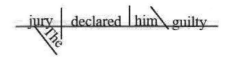

⑤ I find the movie entertaining.

⑥ We made her the team captain.

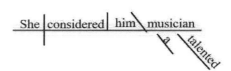

⑦ We made him captain of the team.

⑧ She considers him a talented musician.

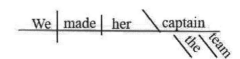

⑨ He appointed her his personal assistant.

⑩ The committee declared the project a success.

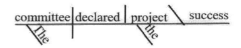

┃ 해석

① (직독) 그들은 불렀다 그를 영웅이라고.
(의역) 그들은 그를 영웅이라고 불렀다.

② (직독) 그녀는 페인트칠 했다 그 벽을 푸르게.
(의역) 그녀는 그 벽을 푸르게 페인트칠 했다.

③ (직독) 그들은 이름을 지어줬다 그 아기에게 Ethan이라고.
(의역) 그들은 그 아기에게 Ethan이라고 이름을 지어줬다 .

④ (직독) 그 배심원들은 선언했다 그가 유죄라고.
(의역) 그 배심원들은 그가 유죄라고 선언했다.

⑤ (직독) 나는 알게 되었다 그 영화가 재미있다고.
　　(의역) 나는 그 영화가 재미있다고 알게 되었다 .
⑥ (직독) 우리는 만들었다 그녀를 팀 주장으로.
　　(의역) 우리는 그녀를 팀 주장으로 만들었다.
⑦ (직독) 우리는 만들었다 그녀를 주장으로 팀의.
　　(의역) 우리는 그녀를 팀의 주장으로 만들었다.
⑧ (직독) 그녀는 여긴다 그를 재능있는 음악가로.
　　(의역) 우리는 그를 재미있는 음악가로 여긴다.
⑨ (직독) 그는 임명했다 그녀를 그의 개인적인 조수로.
　　(의역) 그는 그녀를 그의 개인적인 조수로 임명했다.
⑩ (직독) 그 위원회는 선언했다 그 프로젝트가 성공이라고.
　　(의역) 그 위원회는 그 프로젝트가 성공이라고 선언했다.

▍해설

위의 문장들은 공통적으로 주어 + 동사 + 목적어 (동사, 즉 행위의 직접적인 대상이 되는 말) + 목적어의 필수 보충어 (목적어에 대한 필수 세부 정보)로 구성되어 있다.

▍어휘

hero 영웅　　name (name-named-named) 이름 지어주다　jury 배심원　　guilty 유죄의 entertaining 재미있는　captain 주장　consider 여기다　talented 재능있는　musician 음악가　appoint 임명하다　personal 개인적인　assistant 조수　committee 위원회 declare 선언하다

p. 22

연습문제 1.

▮ 정답

① I <u>watched</u> a movie yesterday.

② They <u>had</u> a picnic last summer.

③ We <u>read</u> a book yesterday evening.

④ She <u>cleaned</u> her room last weekend.

⑤ The dog <u>barked</u> loudly this morning.

⑥ She <u>ate</u> dinner at a restaurant last night.

⑦ She <u>visited</u> her grand parents two days ago.

⑧ He <u>studied</u> English for two hours yesterday.

⑨ They <u>played</u> soccer in the park last Saturday.

⑩ My family <u>traveled</u> to the beach last summer.

▮ 해석

① (직독) 나는 봤어 영화를 어제.
　　(의역) 나는 어제 영화를 봤어.
② (직독) 나는 갔었어 소풍을 지난 여름에.
　　(의역) 나는 지난 여름에 소풍을 갔었어.
③ (직독) 우리는 읽었어 책 한권을 어제 저녁에.
　　(의역) 우리는 어제저녁에 책 한 권을 읽었어.
④ (직독) 그녀는 청소했어 그녀 방을 지난 주말.
　　(의역) 그녀는 지난 주말 그녀 방을 청소했어.
⑤ (직독) 그 개가 짖었어 크게 오늘 아침에.
　　(의역) 그 개가 오늘 아침에 크게 짖었어.
⑥ (직독) 그녀가 먹었어 저녁을 한 식당에서 지난 밤에.
　　(의역) 그녀가 지난 밤에 한 식당에서 저녁을 먹었어.
⑦ (직독) 그녀는 방문했어 그녀의 조부모님댁을 2일 전에.
　　(의역) 그녀는 2일 전에 그녀의 조부모님댁을 방문했어.
⑧ (직독) 그는 공부했어 영어를 두 시간 동안 어제.
　　(의역) 그는 어제 두 시간 동안 영어를 공부했어.
⑨ (직독) 그들은 했어 축구를 그 공원에서 지난 토요일에.

  (의역) 그들은 지난 토요일에 그 공원에서 축구를 했어.
 ⑩ (직독) 내 가족은 여행 갔어 그 해변으로 지난 여름에.
  (의역) 내 가족은 지난 여름에 그 해변으로 여행 갔어.

┃해설

위의 문장들은 지난 여름, 어제, 오늘 아침, 지난 토요일 등 과거의 어느 시점에 대한 이야기이다. 그래서 동사 햄버거에서 '언제'라는 메뉴에서 과거를 선택하면 된다. 그래서 동사의 모양을 모두 과거형으로 바꾸면 된다. 동사의 과거형이 대체로 -ed를 붙이면 되지만 그렇지 않는 경우는 별도로 기억해야 한다. 입으로 여러 번 읽는 것이 필요하다. 위 예문에서 쓰인 불규칙 동사의 변화는 아래와 같다 have-had-had / read-read-read / eat-ate-eaten / study-studied-studied

┃어휘

bark 짖다　loudly 크게　visit 방문하다

p. 22

연습문제 2.

┃정답

 ① The cat is <u>sleeping</u> all day.

 ② I am <u>reading</u> a book right now.

 ③ She is <u>eating</u> lunch at the moment.

 ④ He is <u>watching</u> a movie on TV now.

 ⑤ They <u>are playing</u> soccer in the park now.

 ⑥ She <u>is writing</u> a letter to her friend now.

 ⑦ They <u>are studying</u> English this morning.

 ⑧ He <u>is listening</u> to music in the afternoon.

 ⑨ I <u>am playing</u> video games at the moment.

 ⑩ We <u>are studying</u> English grammar this very moment.

┃해석

① (직독) 그 고양이는 자고 있다 하루 종일.
 (의역) 그 고양이는 하루 종일 자고 있다.

② (직독) 나는 읽고 있다 책을 지금.
　　(의역) 나는 지금 책을 읽고 있다.
③ (직독) 그녀는 먹고 있다 점심을 지금.
　　(의역) 그녀는 지금 점심을 먹고 있다.
④ (직독) 그녀는 보고 있다 영화를 TV로 지금.
　　(의역) 그녀는 지금 TV로 영화를 보고 있다.
⑤ (직독) 그들은 하고 있다 축구를 공원에서 지금.
　　(의역) 그들은 지금 공원에서 축구를 하고 있다.
⑥ (직독) 그녀가 쓰고 있다 편지를 그녀에게 지금.
　　(의역) 그녀가 지금 그녀에게 편지를 쓰고 있다.
⑦ (직독) 그들은 공부하고 있다 영어를 오늘 아침.
　　(의역) 그들은 오늘 아침 영어를 공부하고 있다.
⑧ (직독) 그는 듣고 있다 음악을 오후에.
　　(의역) 그는 오후에 음악을 듣고 있다.
⑨ (직독) 나는 하고 있다 비디오 게임을 지금.
　　(의역) 나는 지금 비디오 게임을 하고 있다.
⑩ (직독) 우리는 공부하고 있다 영어 문법을 바로 지금.
　　(의역) 우리는 바로 지금 영어 문법을 공부하고 있다.

▌해설

위의 문장들은 오늘 하루 종일, 바로 지금, 지금, 오늘 아침, 오늘 오후, 등 현재 한 순간에 대한 이야기이다. 그래서 동사 햄버거에서 '언제'라는 메뉴에서 현재를 선택하고, 동사의 양상은 '~하고 있는 중'을 써야 문장의 맥락에 맞다. 그래서 동사의 모양을 모두 am/are/is ~ing 로 바꾸면 된다.

▌어휘

grammar 문법　moment 순간　right now 바로 지금

연습문제 3.

▌정답

① I have lost my keys. I need to search the house. I hope I find them soon.

② We have lost our way. Let's ask for directions. I hope we find the right path.

③ She has visited Paris once. She traveled to Paris last year and enjoyed exploring the Eiffel Tower.

④ We have studied French for two semesters. We have practiced speaking French with our classmates.

⑤ He has lost his phone. He remembers having it in the car. He needs to retrace his steps.

⑥ I started my homework in the afternoon. I have finished my homework. I feel relieved now that it's done.

⑦ He has studied English for five years. He started learning English in high school. He can now speak fluently and confidently.

⑧ I have lived in this city for three years. I moved here after finishing college. I have made many friends during my time here.

⑨ He has known her since childhood. They grew up in the same neighborhood. He has always been a good friend to her.

⑩ She has worked at that company since last month. She enjoys her job and the work environment. She has learned a lot of new skills in her role.

▌해석

① (직독) 나는 잃어버렸다 내 열쇠를. 나는 해야 해 탐색을 그 집을. 나는 희망해 찾기를 그걸 곧.
   (의역) 나 는 내 열쇠를 잃어 버렸다. 나는 그 집을 탐색해봐야 한다. 나는 곧 그걸 찾기를 희망한다.

② (직독) 우리는 잃어버렸다 길을. 물어보자 길을. 나는 희망한다 우리가 찾기를 바른 경로를
   (의역) 우리는 길을 잃어버렸다. 길을 물어보자. 나는 우리가 바른 경로를 찾기를 희망한다.

③ (직독) 그녀는 방문했다 파리를 한 번. 그녀는 여행했다 파리를 작년에 그리고 즐겼다 탐방하기를 에펠탑을
   (의역) 그녀는 파리를 한 번 방문했다. 그녀는 작년에 파리를 여행했는데 에펠탑 탐방을 즐겼다.

④ (직독) 우리는 공부했다 프랑스어를 두 학기 동안. 우리는 연습했다 말하기를 프랑스어로 반 친구들하고.
   (의역) 우리는 프랑스어를 두 학기 동안 공부했다. 우리는 반 친구들학고 프랑스어로 말하기 연습을 했다.

⑤ (직독) 그는 잃어버렸다 그의 핸드폰을. 그는 기억한다 그것을 가지고 있었음을 차에서는.
그는 할 필요가 있다 되걸어 찾아보기를 걸어온 길을.

(의역) 그는 그의 핸드폰을 잃어버렸다. 그는 차에서는 폰을 가지고 있었다는 건 기억한다.
그는 자신이 걸어온 길을 되걸어 찾아볼 필요가 있다.

⑥ (직독) 나는 시작했다 숙제를 오늘 오후에. 나는 끝냈다 숙제를. 나는 안심된다 이제 끝내서.

(의역) 나는 오늘 오후에 숙제를 시작했다. 나는 숙제를 끝냈다. 이제 끝내서 안심된다.

⑦ (직독) 그는 공부하고 있다 영어를 5년동안. 그는 시작했다 영어 배우기를 고등학교 때에. 그는 이제
말할 수 있다 유창하고 자신있게.

(의역) 그는 5년간 영어를 공부하고 있다. 그는 고등학교때에 영어를 배우기 시작했다. 그는 이제
유창하고 자신있게 말할 수 있다.

⑧ (직독) 나는 살고 있다 이 도시에 3년 동안. 나는 이곳으로 이사 왔다 대학 졸업 후. 나는 사귀었다
많은 친구들을 이곳에서 지내는 동안

(의역) 나는 3년동안 이 도시에 살고 있다. 나는 대학 졸업 후 이곳으로 이사 왔다. 나는 이곳에서
지내는 동안 많은 친구들을 사귀었다.

⑨ (직독) 그는 알고 지냈다 그녀를 어린 시절부터. 그들은 자랐다 같은 동네에서. 그는 항상 좋은
친구가 되어왔다 그녀에게.

(의역) 그는 어린 시절부터 그녀를 알고 지냈다. 그들은 같은 동네에서 자랐다. 그는 항상 그녀
에게 좋은 친구가 되어왔다.

⑩ (직독) 그녀는 일하고 있다 그 회사에서 지난달부터. 그녀는 즐긴다 그녀의 일을 그리고
직장 분위기를. 그녀는 배웠다 많은 새로운 기술을 그녀의 역할에서.

(의역) 그녀는 지난달부터 그 회사에서 일하고 있다. 그녀는 그녀의 일과 직장 분위기를 즐긴다.
그녀는 그녀의 역할에서 많은 새로운 기술을 배웠다.

▮ 해설

위의 문장들은 어릴 적부터, 3년 동안, 평생 한 번 등 과거의 어떤 시점에서 현재에 이르는
기간 사이에 어떠한 행위를 했다는 이야기이다. 동사 햄버거에서 '언제'라는 메뉴에서 현재를
선택하고, 동사의 양상은 '쭈욱~ 해오고 있다'을 써야 문장의 맥락에 맞다. 그래서 동사의 모
양을 모두 'have/has -ed'로 바꿔줘야 한다.

▮ 어휘

search ~를 뒤지다   directions 길안내   path 경로,   explore 탐험하다   semester학기
retrace 되돌아가며 찾다.   relieved 안심이 되는   fluently 유창하게   confidently 자신있게
environment 환경   role 역할

p. 24

연습문제 4.

▮ 정답

① She <u>has been studying</u> for the exam all week. She is feeling a bit stressed.

② They <u>have been playing</u> in the park for hours. They are getting tired and hungry.

③ He <u>has been working</u> on his project since yesterday. He is excited to see the final result.

④ They <u>have been cleaning</u> the house all day. It looks neat and tidy now.

⑤ He <u>has been exercising</u> regularly. He is feeling healthier and more energetic.

⑥ I <u>have been reading</u> this book for days. It's a captivating story, and I can't put it down.

⑦ We <u>have been waiting</u> for the train since morning. We are getting impatient as it is delayed.

⑧ He <u>has been learning</u> to play the guitar for a year. He can now play several songs confidently.

⑨ I <u>have been waiting</u> for my friend at the coffee shop. She is running late, and I am getting worried.

⑩ I <u>have been practicing</u> their English conversation skills since I was 10, and I feel more comfortable speaking in English now.

▌해석

① (직독) 그녀는 공부하고 있다 시험을 위해 이번 주 내내. 그녀는 느끼고 있다 다소 스트레스를.
  (의역) 그녀는 이번 주 내내 시험 공부를 하고 있다. 그녀는 다소 스트레스를 느끼고 있다.

② (직독) 그들은 놀고 있다 공원에서 몇 시간동안. 그들은 피곤하고 배고프기 시작하고 있다.
  (의역) 그들은 몇 시간동안 공원에서 놀고 있다. 그들은 피곤하고 배고프기 시작하고 있다.

③ (직독) 그는 작업하고 있다 그의 프로젝트에 어제부터. 그는 설레여한다 보기를 최종 결과를.
  (의역) 그는 어제부터 그의 프로젝트를 하고 있다. 그는 최종 결과 보기에 대해 설레고있다.

④ (직독) 그들은 청소하고 있다 그 집을 하루 종일. 그 집은 보인다 깔끔하고 정돈되어 지금.
  (의역) 그들은 그 집을 하루 종일 청소하고 있다. 그 집은 지금 깔끔하고 정돈되어 보인다.

⑤ (직독) 그는 운동하고 있다 규칙적으로. 그는 느끼고 있다 더 건강하게 그리고 더 활력있게
  (의역) 그는 규칙적으로 운동하고 있다 그는 더 건강하고 활력있게 느끼고 있다.

⑥ (직독) 나는 읽고 있다 이 책을 며칠째. 그 책은 흥미로운 이야기다. 나는 놓을 수 없어 그것을.
  (의역) 나는 며칠째 이 책을 읽고 있다. 그 책은 흥미로운 이야기라 손에서 놓을 수가 없어.

⑦ (직독) 우리는 기다리고 있다 기차를 아침부터. 우리는 인내심이 없어지고 있다 그게 지연됨에 따라
  (의역) 우리는 아침부터 기차를 기다리고 있다. 그게 지연됨에 따라 인내심도 없어지고 있다.

⑧ (직독) 그는 배우고 있다 기타치는 법을 일 년 동안. 그는 이제 연주할 수 있다 몇 곡을 자신있게.
  (의역) 그는 일 년동안 기타를 배우고 있다. 그는 이제 자신있게 몇 곡을 연주할 수 있다.

⑨ (직독) 나는 기다리고 있다 내 친구를 커피숍에서. 그녀는 늦어지고 있고 나는 걱정이 되기 시작한다.
  (의역) 나는 커피숍에서 내 친구를 기다리고 있다. 그녀가 늦어지고 있어서 나는 걱정이 되기 시작한다.

⑩ (직독) 나는 연습하고 있다 영어 회화를 10살 때부터 나는 더 편하게 느낀다 영어로 말하는 것을 이제는.

(의역) 나는 10살 때부터 영어 회화를 연습하고 있고, 이제는 영어로 말하는 것을 더 편하게 느끼고 있다.

▌해설

위의 문장들은 '일 주일 내내, 몇 시간째, 어제부터, 하루 종일, 어릴 적부터 '등 과거의 어떤 시점에서 현재에 이르는 기간 사이에 어떠한 행위를 해오고 있고 현재도 한창 하고 있다는 이야기이다. 동사 햄버거에서 '언제'라는 메뉴에서 현재를 선택하고, 동사의 양상은 '쭈욱~ 해오고 있고 지금도 하고 있다'를 써야 문장의 맥락에 맞다. 그래서 동사의 모양을 모두 'have/has been -ing'로 바꿔줘야 한다.

▌어휘

stressed 스트레스를 받은   tired 지친   result 결과   neat 깔끔한   tidy 단정한   regularly 규칙적으로   energetic 에너지가 있는   captivating 사로잡는   put down 내려놓다 impatient 인내심이 없는   delayed 지연되는   run late 늦어지다

p. 25

연습문제 5.

▌정답

① She <u>had</u> never <u>seen</u> snow until last year.

② Tom <u>had gone</u> out when I **visited** his house.

③ I <u>had lived</u> with my parents until I **was** 20.

④ Jack **told** me that he <u>had</u> never <u>seen</u> a parrot .

⑤ He <u>had</u> just <u>taken</u> a bath when the phone **rang**.

⑥ I <u>had finished</u> my homework before I **went** to bed.

⑦ I <u>had</u> never <u>tried</u> Mexican food before I **visited** Mexico.

⑧ I **got** upset when I **found** I <u>had left</u> my car key in the car.

⑨ When I **dropped** by his office yesterday, he <u>had gone</u> to the bank.

⑩ He <u>had studied</u> English for three years before he **moved** to an   English-speaking country.

▌해석

① (직독) 그녀는 본 적이 없다 눈을 작년까지.
   (의역) 그녀는 작년까지 눈을 본 적이 없다. (작년에 눈을 평생 처음 봤다.)
② (직독) Tom은 나가고 없었다 내가 방문했을 때 그의 집을.
   (의역) 내가 Tom의 집에 갔을 때 이미 Tom은 나가고 없었다.
③ (직독) 나는 지냈다 부모님과 20세까지.
   (의역) 나는 20세까지 부모님과 같이 지냈다.
④ (직독) Jack은 말했다 나에게 그가 못 봤다고 앵무새를.

(의역) Jack은 앵무새를 본 적이 없다고 나에게 말했다.

⑤ (직독) 그는 막 목욕을 했다 전화가 울렸을 때.

　(의역) 전화가 울렸을 때 그는 막 목욕을 다 했다.

⑥ (직독) 나는 끝냈다 숙제를 자러 가기 전에.

　(의역) 나는 자러 가기 전에 숙제를 끝냈다.

⑦ (직독) 나는 결코 먹어본 적이 없었다 멕시코 음식을 멕시코를 방문하기 전까지.

　(의역) 나는 멕시코를 방문하기 전까지 결코 멕시코 음식을 먹어본 적이 없었다.

⑧ (직독) 나는 화가 났다 내가 알았을 때 내가 두고 왔다고 내 자동차 열쇠를 내 차 안에.

　(의역) 나는 내가 내 차 안에 자동차 열쇠를 두고 나왔다는 사실을 알았을 때 화가 났다.

⑨ (직독) 내가 들렀을 때 그의 사무실을 어제, 그는 은행에 이미 가버렸다.

　(의역) 내가 어제 그의 사무실을 들렀을 때 그는 은행에 가고 없었다.

⑩ (직독) 그는 공부했다 영어를 3년 동안 그가 이사 가기 전까지 영어를 쓰는 나라로.

　(의역) 그는 영어를 쓰는 나라로 이사 가기 전까지 3년간 영어 공부를 했다.

▌해설

위의 문장들은 '작년까지, 그를 방문했을 때, 20세였을 때' 등 과거의 어떤 시점 이전까지 어떠한 행위를 이미 했다는 이야기이다. 과거의 일들이라 동사 햄버거에서 '언제'라는 메뉴에서 과거를 선택하고, 동사의 양상은 '쭈욱~ 해오고 있다'를 써야 문장의 맥락에 맞다. 그래서 동사의 모양을 모두 'had -ed'로 바꿔 줘야한다.

▌어휘

parrot 앵무새　upset 화난　leave 남겨두다　drop by 방문하다　move 이사하다

p. 26

연습문제 6.

▌정답

① The letter <u>was written</u> by Sarah. It has important information.

② The letter <u>is written</u> by my sister. She has excellent writing skills.

③ The message <u>was sent</u> by mistake. We need to clarify the situation.

④ The new bridge <u>was built</u> last year. It connects the two neighborhoods.

⑤ The report <u>was prepared</u> by the team. It is ready for the presentation.

⑥ The film <u>was directed</u> by a famous filmmaker. It received positive reviews.

⑦ The movie <u>is watched</u> by a large audience. It has become a box office hit.

⑧ The book <u>is read</u> by many people. It has received positive reviews from readers. The book <u>is</u> often <u>recommended</u> by teachers

⑨ The meal <u>is cooked</u> by a professional chef. The chef takes pride in creating delicious dishes. The meal <u>is served</u> in a beautifully decorated restaurant.

⑩ The car <u>is washed</u> by the car-wash employees. They ensure that every part of the car is clean. The car <u>is dried</u> and polished after the wash.

▍해석

① (직독) 그 편지는 쓰여졌어 Sarah에 의해. 그것은 가지고 있어 중요한 정보를.
   (의역) 그 편지는 Sarah에 의해 쓰여졌어. 거기에 중요한 정보가 있다.

② (직독) 그 편지는 쓰여지고 있다 나의 언니에 의해. 그녀는 가지고 있다 멋진 쓰기 실력을.
   (의역) 그 편지는 나의 언니에 의해 쓰여지고 있다. 그녀는 멋진 쓰기 실력을 가지고 있다.

③ (직독) 그 메시지는 보내졌어 실수로. 우리는 할 필요가 있다 명확히 하다 상황을.
   (의역) 그 메시지는 실수로 보내졌어. 우리는 상황을 명확히 할 필요가 있다.

④ (직독) 그 새로운 다리는 건설되었다 작년에. 그것은 연결한다 두 이웃을.
   (의역) 그 새로운 다리는 작년에 건설되었다. 그것은 두 이웃을 연결한다.

⑤ (직독) 그 보고서는 준비되었다 그 팀에 의해. 그것은 준비되어 있다 발표를 위해.
   (의역) 그 보고서는 그 팀에 의해 준비되었다. 그것은 발표될 준비가 되어 있다.

⑥ (직독) 그 영화는 만들어졌다 유명한 영화 감독에 의해. 그것은 받았다 긍정적인 평을.
   (의역) 그 영화는 유명한 감독에 의해 만들어졌다. 그것은 긍정적인 평을 받았다.

⑦ (직독) 그 영화는 관람되고 있다 많은 청중에 의해. 그것은 되었다 흥행작이.
   (의역) 그 영화는 많은 청중에 의해 관람되고 있다. 그것은 흥행작이 되었다.

⑧ (직독) 그 책은 읽힌다 많은 사람들에 의해. 그것은 받았다 긍정적인 평을 독자로부터. 그 책은 자주 추천된다 선생님들에의해.
   (의역) 그 책은 많은 사람들에 의해 읽힌다. 그것은 독자로부터 긍정적인 평을 받았다. 그 책은 선생님들이 자주 추천하신다.

⑨ (직독) 그 식사는 요리되었다 전문 요리사에 의해. 그 요리사는 자부심을 가지고 있다 만든 것에 대해 맛있는 요리를. 그 식사는 대접된다 예쁘게 장식된 식당에서.
   (의역) 그 요리는 전문 요리사에 의해 만들어졌다. 그 요리사는 맛있는 요리를 만들어 내는 것에 자부심을 가지고 있다. 아름답게 장식된 식당에서 서브 된다.

⑩ (직독) 그 자동차는 세차된다 세차 담당 직원에 의해. 그들은 확인한다 모든 부분이 깨끗한 지를. 그 차는 건조되고 광택이 나도록 닦여진다 세차 후에.
   (의역) 그 자동차는 세차 담당 직원에 의해 세차된다. 그들은 모든 부분이 깨끗한 지를 확인한다. 세차 후 건조와 광택 서비스까지 해준다.

▍해설

위 문장들의 주어는 모두 사물이다. 동사 햄버거에서 동사의 양상은 '당하고 있다'를 써야 문장의 맥락에 맞다. 그래서 동사의 모양을 모두 'be -ed'로 바꿔 줘야 한다.

by mistake 실수로   prepare 준비하다   filmmaker 제작자, 감독   receive 받다   positive 긍정적인   review 후기   audience 청중   box office hit 흥행작   read (read-read-read) 읽다   recommend 추천하다   professional 전문적인   chef 요리사   take pride in ~ 자부심을 가지다   employee 직원   ensure 확실히 ~하도록 하다. polish 광택나게 하다

p. 27

연습문제 7.

■ 정답

① The project is being worked on by the team. They are collaborating and

sharing ideas. The deadline is approaching, so they are working diligently.

② The car is being repairedat the mechanic's shop. They are fixing the

engine issue. The brakes are being checked(check) for any problems.

③ The letter is being written by my friend. She is using beautiful stationery for the letter.

The letter is being addressed and will be sent soon.

④ The garden is being planted by the volunteers. They are using seeds and

tools. The community event is just around the corner, so they are working hard.

⑤ The event is being organized by the committee. They are coordinating

logistics and inviting guests. The big day is coming soon, so they are staying focused.

⑥ The cake is being baked by the baker. They are using fresh ingredients. The

celebration is tonight, so they are making sure everything is perfect.

⑦ The experiment is being conducted by the scientists. They are using

advanced equipment. The results are expected soon, so they are staying attentive.

⑧ The website is being developed by the IT team. They are coding and testing. The

launch is next week, so they are working meticulously.

⑨ The lesson is being taught by the teacher. They are using interactive

methods. The exam is next week, so they are ensuring students understand the material.

⑩ The report is being written by the journalist. They are interviewing sources

and gathering information. The deadline is tight, so they are working diligently.

■ 해석

① 프로젝트는 팀이 작업 중이다. 그들은 협력하고 아이디어를 공유하고 있다. 마감이 다가오고 있으니, 그들은 성실하게 일하고 있다.

② 차는 정비공의 공장에서 수리 중이다. 그들은 엔진 문제를 고치고 있다. 브레이크는 문제가 있는지 점검 중이다.

③ 편지는 내 친구가 쓰고 있다. 그녀는 편지를 위해 아름다운 문구지를 사용하고 있다. 편지는 주소가 붙여져

곧 발송될 것이다.

④ 정원은 자원봉사자들이 심고 있다. 그들은 씨앗과 도구를 사용하고 있다. 지역 행사가 곧 다가오니, 그들은 열심히 일하고 있다.

⑤ 행사는 위원회가 조직 중이다. 그들은 물류를 조정하고 손님을 초대하고 있다. 큰 날이 다가오고 있으니, 그들은 집중하고 있다.

⑥ 케이크는 제빵사가 굽고 있다. 그들은 신선한 재료를 사용하고 있다. 축하 행사가 오늘 밤이니, 그들은 모든 것이 완벽한지 확인 중이다.

⑦ 실험은 과학자들이 진행 중이다. 그들은 고급 장비를 사용하고 있다. 결과가 곧 나올 것이니, 그들은 주의를 기울이고 있다.

⑧ 웹사이트는 IT 팀이 개발 중이다. 그들은 코딩하고 테스트하고 있다. 발표가 다음 주니, 그들은 면밀하게 작업 중이다.

⑨ 수업은 선생님이 가르치고 있다. 그들은 대화식 방법을 사용하고 있다. 시험이 다음 주니, 그들은 학생들이 재료를 이해하는 것을 보장하고 있다.

⑩ 보고서는 저널리스트가 작성 중이다. 그들은 출처를 인터뷰하고 정보를 수집하고 있다. 마감이 타이트하니, 그들은 성실하게 일하고 있다.

▌해설

위의 문장들의 주어는 모두 사물이다. 동사 햄버거에서 동사의 양상은 '당하고 있다'를 써야 문장의 맥락에 맞다. 그리고 현재 그 행동이 계속 진행되고 있다. 그래서 동사의 모양을 모두 'be being -ed'로 바꿔 줘야 한다.

▌어휘

collaborate 협력하다   share 공유하다   deadline 마감일   approach 다가오다   diligently 부지런히   repair 수리하다 mechanic 자동차 수리공   fix 고치다 stationery 문구물품 address 주소를 기입하다   volunteer 자원봉사자   seed 씨앗   tool 도구   community 공동체   just around the corner 바고 근처, 임박해서   organize 조직하다   committee 위원회 coordinate 조정하다   logistics 물류조달   focused 집중이 되어 있는 ingredient 재료 celebration 축하   experiment 실험 conduct 실행하다 equipment 장비   result 결과 attentive 예의주시하는   launch 출범, 시작   meticulously 세밀하게   interactive 상호작용하는   ensure 보장하다   material 재료, 학습자료   journalist 저널리스트   source 출처 gather 모으다 tight 빠듯하다

p. 28

정답

① The report <u>has been being reviewed</u> by the supervisor for the past hour. Important suggestions have been made for improvement.

② The new software <u>has been being tested</u> by the IT department all week. They have identified a few bugs that need fixing.

③ The novel <u>has been being read</u> by book club members over the last month. Everyone has been sharing their favorite parts during meetings.

④ The emails <u>have been being answered</u> by the customer service team since morning. They have successfully addressed most customer inquiries.

⑤ The cookies <u>have been being baked</u> by the chef for the last half hour. The delightful aroma has been filling the entire kitchen.

⑥ The house <u>has been being painted</u> by the workers throughout the summer. The fresh colors have completely transformed its appearance.

⑦ The song <u>has been being sung</u> by the choir during rehearsals this week. They have perfected the harmonies for the upcoming performance.

⑧ The lessons <u>have been being taught</u> by the teacher for the entire semester. Students have been actively participating and learning new concepts.

⑨ The repairs <u>have been being made</u> on the car for the past few days. The mechanic has finally fixed the engine issue.

⑩ The updates <u>have been being implemented</u> by the IT team over the last month. Users have noticed improvements in the system's performance.

해석

① 보고서는 지난 한 시간 동안 감독관에 의해 검토되어 왔다. 개선을 위한 중요한 제안들이 있었다.

② 새 소프트웨어는 IT 부서에 의해 이번 주 내내 테스트되어 왔다. 몇 가지 수정이 필요한 버그들이 확인되었다.

③ 소설은 지난 한 달 동안 독서 클럽 회원들에 의해 읽혀 왔다. 회의 중에는 모두가 자신의 가장 좋아하는 부분을 공유해 왔다.

④ 오전부터 고객 서비스 팀이 이메일에 대한 답변을 해왔다. 그들은 대부분의 고객 문의에 성공적으로 대응했다.

⑤ 쿠키는 지난 반 시간 동안 셰프에 의해 구워져 왔다. 상쾌한 향기가 전체 주방을 가득 채웠다.

⑥ 집은 여름 내내 작업자들에 의해 칠해져 왔다. 신선한 색상들이 그 외관을 완전히 변형시켰다.

⑦ 노래는 이번 주 리허설 중에 합창단에 의해 불러 왔다. 그들은 다가오는 공연을 위해 조화를 완벽하게 만들었다.

⑧ 수업은 전 학기 동안 선생님에 의해 가르쳐 왔다. 학생들은 적극적으로 참여하고 새로운 개념을 배워왔다.

⑨ 차량 수리는 지난 며칠 동안 진행되어 왔다. 정비사가 마침내 엔진 문제를 해결했다.

⑩ 업데이트는 지난 한 달 동안 IT 팀에 의해 시행되어 왔다. 사용자들은 시스템 성능의 개선을 알아차렸다.

┃해설

위의 문장들의 주어는 모두 사물이다. 동사 햄버거에서 동사의 양상은 '당하고 있다'를 써야 문장의 맥락에 맞다. 그리고 그 행동이 과거 어느 시점에서 현재에 이르기까지 계속 진행되고 있고 현재에도 진행되고 있다.. 그래서 동사의 모양을 모두 'have been being -ed'로 바꿔 줘야 한다.

┃어휘

supervisor 감독관 suggestion 제안 improvement 개선 department 부서 identify 확인하다 novel 소설 customer service 고객센터 address 대응하다 inquiry 문의 half hour 30분 delightful 기분좋은 aroma 기분 entire 전체의 completely 완전히 transform 변형시키다 appearance 외관 choir 합창단 rehearsal 연습 perfect 완벽하게 만들다 upcoming 다가오는 performance 공연 entire 전체의 semester 학기 actively 활발하게 participate 참여하다 comcept 개념 repair 수리 implement 시행하다 notice 알아차리다 improvement 개선

p. 32

연습문제 1.

▌정답

① I **enjoy** <u>swimming</u> in the pool.

② I have **given up** <u>losing</u> weight.

③ Suddenly, we **stopped** <u>talking</u>.

④ He **likes** <u>running</u> long distances.

⑤ Sorry to **keep** you <u>waiting</u> so long.

⑥ We **practice** <u>speaking</u> English every day.

⑦ We **appreciate** <u>receiving</u> thoughtful gifts.

⑧ He tried to **avoid** <u>answering</u> my question.

⑨ She is good **at** <u>playing</u> the piano.

⑩ He is interested **in** <u>learning</u> new languages.

▌해석

① 나는 수영하는 것을 즐긴다.

② 나는 체중 감량을 포기했다.

③ 갑자기, 우리는 말을 멈췄다.

④ 그는 장거리를 달리는 것을 좋아한다.

⑤ 너를 오래 기다리게 해서 미안하다.

⑥ 우리는 매일 영어 말하기를 연습한다.

⑦ 우리는 세심한 선물을 받는 것에 감사한다.

⑧ 그는 내 질문에 답하기를 피하려고 했다.

⑨ 그녀는 피아노를 연주하는 것에 능숙하다.

⑩ 그는 새로운 언어를 배우는 것에 관심이 있다.

▌해설

각 문장의 동사(enjoy, have given up, stopped, likes 등) 뒤에 잇따라 오는 말들은 이미 일어난 일이거나 일반적인 행동이다. 예를 들어 enjoy는 어떤 행위를 평소에 즐긴다는 의미를 가진 말이다. 'enjoy' 뒤에 오는 행위는 지금 당장 할 일이 아니라 평소에 해본 일이거나 일반적인 행위를 의미한다. 문항 ④의 'like'를 예를 들어보자. '취미가 뭐냐 (What do you like to do in your free time?)'라는 질문의 대답으로 소설 읽기가 취미라면 'I like reading novels'라 해야 한다. 한편 '오늘 오후에 뭐 할 거야 (What do you like to do in this afternoon?)'라 하면 "I like to read novels'라 해야 오늘 오후에 소설을 읽고 싶다는 뜻이 되어 질문에 알맞은 대답이 된다. 이렇듯 동사 뒤에 오는 '동사-ing'는 이미 일어난 행동이거나 일반적인 행동을 의미한다. 그래서 위 문장의 동사들은 뒤에는 '-ing'가 와야 한다.

give up 포기하다   lose weight 체중을 감량하다   suddenly 갑자기   distance 거리
appreciate 감사히 여기다   thoughtful 생각이 깊은   avoide 회피하다 language 언어

p. 34

연습문제 2.

▌정답

① I agreed <u>to help</u> him.

② I promised not <u>to be</u> late.

③ I hope <u>to find</u> a new job soon.

④ They can't afford <u>to buy</u> a house.

⑤ We decided <u>to take</u> a taxi home.

⑥ He needs <u>to finish</u> his homework.

⑦ Her dream is <u>to make</u> a movie.

⑧ He promises <u>to help</u> with the project.

⑨ We plan <u>to visit</u> he museum tomorrow.

⑩ We aim <u>to improve</u> our English skills.

▌해석

① 나는 그를 도와주기로 동의했다.

② 나는 늦지 않기로 약속했다.

③ 나는 곧 새로운 직장을 찾기를 희망한다.

④ 그들은 집을 사는 데 여유가 없다.

⑤ 우리는 택시를 타고 집으로 가기로 결정했다.

⑥ 그는 숙제를 끝내야 한다.

⑦ 그녀의 꿈은 영화를 만드는 것이다.

⑧ 그는 프로젝트를 돕기로 약속했다.

⑨ 우리는 내일 박물관을 방문하기로 계획했다.

⑩ 우리는 영어 실력을 향상시키기를 목표로 한다.

▌해설

각 문장의 동사(agree, promise, hope, afford 등) 뒤에 잇따라 오는 말들은 이제 일어날 일
이다. 예를 들어 'promise'는 앞으로 어떤 행위를 하겠다는 의미를 가진 말이다. 'promise'
뒤에 오는 행위는 이미 일어난 일이 아니라 이제 일어날 일이다. 각 예문의 동사 뒤에는 모두
이제 일어날 일을 의미해야 하기 때문에 'to 동사원형'이 와야 한다.

▌어휘

afford ~할 여유가 있다   museum 박물관   aim ~을 목표로 하다

연습문제 3.

정답

① Let me <u>read</u> the letter.

② I saw him <u>fall</u> off the wall.

③ I have never seen her <u>dance</u>.

④ Did you notice anyone <u>go</u> out?

⑤ Please let me <u>know</u> if you need any assistance.

⑥ Let the children <u>play</u> in the park for a while.

⑦ Can you hear the music <u>playing</u> in the background?

⑧ The challenging puzzle will make you <u>think</u> critically.

⑨ Let me <u>take</u> you out for dinner to celebrate your success.

⑩ My parents always make me <u>do</u> my homework before I go out.

해석

① 내가 편지를 읽게 해줘.

② 나는 그가 담장에서 떨어지는 것을 보았다.

③ 나는 그녀가 춤추는 것을 본 적이 없다.

④ 누군가 나가는 것을 봤니?

⑤ 필요한 지원이 있으면 나에게 알려줘.

⑥ 어린이들이 공원에서 잠깐 놀게 해줘.

⑦ 배경에서 흘러나오는 음악이 들리니?

⑧ 도전적인 퍼즐은 당신에게 비판적 사고를 요구할 것이다.

⑨ 너의 성공을 축하하기 위해 내가 너를 저녁식사하러 데려나가는 것을 허락해줘.

⑩ 나의 부모님은 내가 나가기 전에 내가 항상 숙제를 하도록 시킨다.

해설

위 문장의 동사는 사역동사(시키다 동사 - let, make, have)이다. 이 동사 뒤에 잇따라 오는 말들은 어떤 행위이다. 즉, 사역동사는 어떤 행위를 하도록 강제하는 듯한 뜻을 가진 말이다. 이런 '시키다 동사' 뒤에 오는 행위는 시간의 개념을 가지지 않고 그 행동 자체를 전달해야 한다. 즉 언제 그 행동을 하라는 의미가 없이 그저 그 행동 자체를 나타내기 위해 시간의 정보를 모두 없애고 동사 원래 모양 즉 동사원형을 쓴다. 지각동사(hear, see, notice 등)도 같은 이유로 동사원형이 뒤에 따라 온다. 하지만 지각동사의 경우는 어떤 행위가 일어나고 있는 순간에 보거나 듣거나 함을 전달하려면 '-ing'형태를 써야 한다. 그래야 행위가 이루어지고 있는 중에 보거나 들었다는 메시지가 여실히 전달될 수 있다.

어휘

notice 알아채다   assistance 도움   critically 비판적으로   celebrate 기념하다

p. 39

연습문제 1.

▌정답

① They exercised regularly to stay fit.

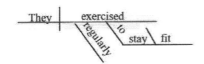

② We saved money to buy a new car.

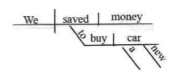

③ She woke up early to catch the bus.

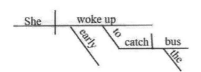

④ They studied hard to pass the exam.

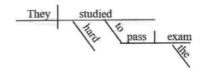

⑤ He works diligently to achieve his goals.

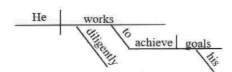

⑥ I practiced daily to improve my guitar skills.

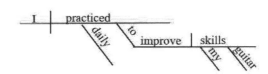

⑦ He waited patiently to meet his favorite celebrity.

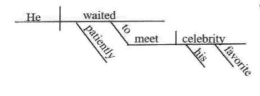

⑧ She ate a healthy breakfast to start her day right.

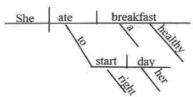

⑨ The children played outside to enjoy the sunshine.

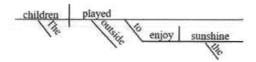

⑩ We cleaned the house thoroughly to prepare for guests.

▌해석

① 그들은 건강을 유지하기 위해 규칙적으로 운동했다.
② 우리는 새 차를 사기 위해 돈을 모았다.
③ 그녀는 버스를 타기 위해 일찍 일어났다.
④ 그들은 시험에 통과하기 위해 열심히 공부했다.
⑤ 그는 목표를 이루기 위해 성실히 일했다.
⑥ 나는 내 기타 실력을 향상 시키기위해 매일 연습했다.
⑦ 그는 자신이 좋아하는 연예인을 만나기 위해 참을성 있게 기다렸다.
⑧ 그녀는 하루를 올바르게 시작하기 위해 건강한 아침 식사를 했다.
⑨ 어린이들은 햇빛을 즐기기 위해 밖에서 놀았다.
⑩ 우리는 손님을 맞이하기 위해 집을 속속들이 청소했다.

▌해설

위 예문에서 'to+동사원형'은 문장의 동사에 대한 'why'의 정보가 들어있다. 그래서 문장 선 그림에서 동사 밑에 위치시킨다.

▌어휘

regularly 규칙적으로 wake-woke-woken 잠에서 깨다 diligently 부지런히 patiently 인내심있게 celebrity 유명인사 thoroughly 철저하게, 속속들이

p. 40

연습문제 2.

▌정답

① She has a book to read.

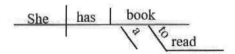

② She has a puzzle to solve.

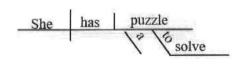

③ He wants a toy to play with.

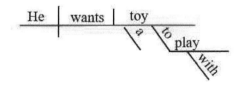

④ She needs a chair to sit on.

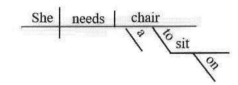

⑤ I bought a brush to paint with.

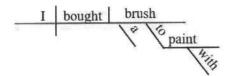

⑥ The cat needs a bowl to eat from.

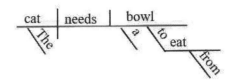

⑦ He has a bike to ride in the park.

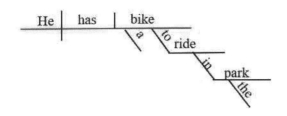

⑧ She purchased a laptop to work on.

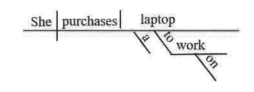

⑨ She bought a dress to wear to the party.

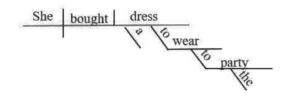

⑩ The students have textbooks to study from.

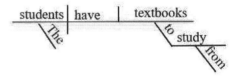

▌해석

① 그녀는 읽을 책이 있다.
② 그녀는 풀어야 할 퍼즐이 있다.
③ 그는 놀이를 할 장난감이 필요하다.
④ 그녀는 앉을 의자가 필요하다.
⑤ 나는 그림을 그릴 브러시를 샀다.
⑥ 고양이는 먹을 그릇이 필요하다.
⑦ 그는 공원에서 탈 자전거가 있다.
⑧ 그녀는 일할 노트북을 구매했다.
⑨ 그녀는 파티에 입을 드레스를 샀다.
⑩ 학생들은 공부할 교과서가 있다.

▌해설

위 예문에서 'to+동사원형'은 물건에 대한 세부 정보가 들어있다. 그래서 문장 선그림에서 세부 정보를 해당 물건 바로 아래에 위치시킨다.

▌어휘

purchase 구매하다

p. 41

정답

① They love to travel.

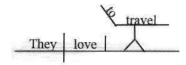

② I hope to find a new job soon.

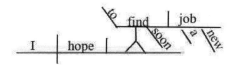

③ He needs to finish his homework.

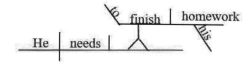

④ They decided to go on a vacation.

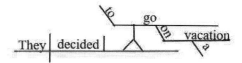

⑤ Her dream is to make a movie.

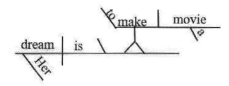

⑥ The dog loves to chase after the ball.

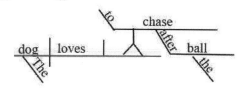

⑦ He promises to help with the project.

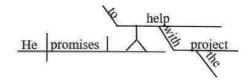

⑧ We aim to improve our English skills.

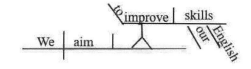

⑨ We plan to visit the museum tomorrow.

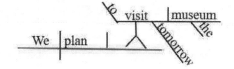

⑩ They like to eat ice cream in the summer.

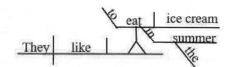

해석

① 그들은 여행하는 것을 좋아한다.
② 나는 곧 새로운 직장을 찾기를 희망한다.
③ 그는 숙제를 끝내야 한다.
④ 그들은 휴가를 가기로 결정했다.
⑤ 그녀의 꿈은 영화를 만드는 것이다.
⑥ 개는 공을 쫓는 것을 좋아한다.
⑦ 그는 프로젝트를 돕기로 약속했다.

⑧ 우리는 영어 실력을 향상시키기를 목표로 한다.
⑨ 우리는 내일 박물관을 방문하기로 계획했다.
⑩ 그들은 여름에 아이스크림을 먹는 것을 좋아한다.

▌해설
위 예문에서 'to+동사원형'은 문장의 주어(~가) 또는 목적어 (~를)에 해당하는 말로서 문장의 핵심 어이기 때문에 문장 선 그림에서 긴 가로선 위에 올라간다. 특히 'to+동사원형'이 포함된 부분이 2개 단어 이상으로 이루어져 있기 때문에 삼각대를 세워 그 위에 해당 어구를 별도로 정리한다.

▌어휘
decide 결심 하다   chase 쫓다   aim 목표 하다

Day 6. 동사ing (동명사) 문장 그림

p. 43

연습문제 1.

┃정답

① I like painting pictures.

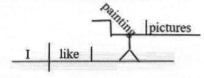

② I enjoy swimming in the pool.

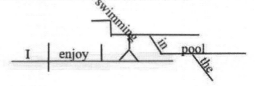

③ He dislikes running long distances.

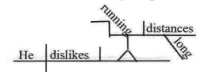

④ She is good at playing the piano.

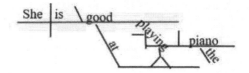

⑤ They like playing soccer after school.

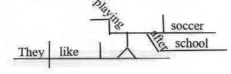

⑥ We practice speaking English every day.

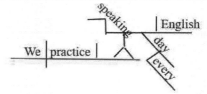

⑦ She loves dancing to her favorite songs.

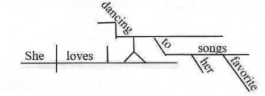

⑧ We appreciate receiving thoughtful gifts.

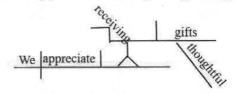

⑨ He is interested in learning new languages.

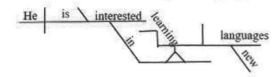

⑩ He prefers reading novels over watching TV.

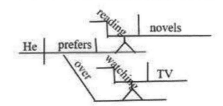

┃ 해석

① 나는 그림을 그리는 것을 좋아한다.
② 나는 수영장에서 수영하는 것을 즐긴다.
③ 그는 장거리를 달리는 것을 싫어한다.
④ 그녀는 피아노를 연주하는 것에 능숙하다.
⑤ 그들은 방과 후에 축구를 하는 것을 좋아한다.
⑥ 우리는 매일 영어 말하기를 연습한다.
⑦ 그녀는 자신이 좋아하는 노래에 춤추는 것을 사랑한다.
⑧ 우리는 세심한 선물을 받는 것에 감사한다.
⑨ 그는 새로운 언어를 배우는 것에 관심이 있다.
⑩ 그는 텔레비전을 보는 것보다 소설을 읽는 것을 선호한다.

┃ 해설

위 예문에서 '동사원형ing'는 동사나 전치사의 목적어로 문장의 핵심 요소이기에 문장 선그림에서 빨간 선 위에 올라간다. 또한 '동사원형ing'이 포함된 어구가 2개 단어 이상으로 이루어져 있기 때문에 삼각대 위에 해당 어구를 정리하되 계단 모양으로 그려서 'to 동사원형'의 그림과 구별이 될 수 있도록 그린다는 점에 유의해야 한다.

┃ 어휘

distance 거리 appreciate 감사하다 receive 받다 prefer A over B B,보다 A를 더 좋아하다
novel 소설

Day 7. 접속사 (딱풀)

p. 48

연습문제 1.

정답

① We can play outside if it stops raining.

② I will call you as soon as I arrive home.

③ She likes to drink tea before she goes to bed.

④ I will go to the store when I finish my homework.

⑤ He is happy since he received a gift from his friend.

⑥ They went to the park even though it was raining.

⑦ She likes to eat ice cream whenever she feels sad.

⑧ He couldn't go to the party since he was feeling sick.

⑨ We chatted with our friends while we were waiting in line.

⑩ They studied hard because they wanted to get good grades.

해석
① 비가 그치면 우리는 밖에서 놀 수 있다.
② 집에 도착하면 즉시 전화할 거야.
③ 그녀는 잠들기 전에 차를 마시는 것을 좋아한다.
④ 숙제를 끝내면 상점에 갈 거야.
⑤ 친구로부터 선물을 받은 이후로 그는 행복하다.
⑥ 비가 내리는데도 그들은 공원에 갔다.
⑦ 그녀는 슬플 때마다 아이스크림을 먹는 것을 좋아한다.
⑧ 아파서 파티에 갈 수 없었다.
⑨ 줄을 기다리는 동안 친구들과 이야기했다.
⑩ 좋은 성적을 받고 싶어서 열심히 공부했다.

해설
위 예문은 문장 두 개가 접속사를 사아에 두고 연결되어 있다. 접속사는 연결된 두 문장의 의미 관계를 잘 나타내준다.

어휘
arrive 도착하다 as soon as ~하자마자 even though 비록 ~일지라도 whenever~할때마다 since~하기 때문에 grade 성적

연습문제 2.

▌정답

① I wonder whether it will rain tomorrow.

② I'm not sure if I can attend the party.

③ She asked if he had finished his work.

④ She asked me whether I had seen her keys.

⑤ They wondered if the train would be on time.

⑥ He asked me if I wanted to join him for lunch.

⑦ I don't know whether she will come to the party.

⑧ She asked him whether he wanted to go for a swim.

⑨ They wondered if the concert tickets were still available.

⑩ He couldn't remember whether he had finished his homework.

▌해석
① 내일 비가 올지 궁금하다.
② 파티에 참석할 수 있는지 확신하지 못한다.
③ 그녀는 그가 일을 끝냈는지 물었다.
④ 그녀는 내가 그녀의 열쇠를 보았는지 물었다.
⑤ 그들은 기차가 정시에 도착할지 궁금했다.
⑥ 점심에 함께 할래? 라고 내게 물었다.
⑦ 그녀가 파티에 올지 모른다.
⑧ 그녀는 그가 수영하러 가고 싶어하는지 물었다.
⑨ 콘서트 티켓이 아직도 구할 수 있는지 궁금했다.
⑩ 그는 숙제를 끝냈는지 기억하지 못했다.

▌해설
위 예문은 문장 두 개가 접속사를 사아에 두고 연결되어 있다. 접속사는 연결된 두 문장의 의미 관계를 잘 나타내준다.

▌어휘
whether ~인지 아닌지 on time 시간에 맞춰, 정시에 available 이용가능한

p. 52

연습문제 1.

정답

① We can play outside if it stops raining.

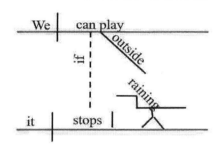

② I will call you as soon as I arrive home.

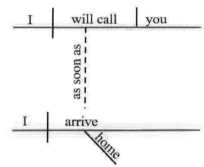

③ She likes to drink tea before she goes to bed.

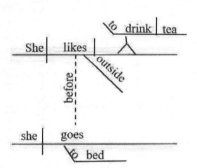

④ They went to the park even though it was raining.

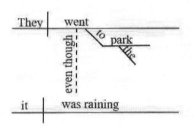

⑤ I will go to the store when I finish my homework.

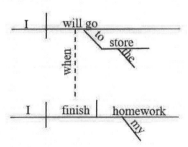

⑥ She likes to eat ice cream whenever she feels sad.

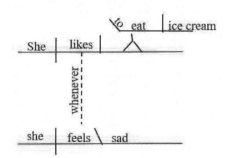

⑦ He is happy since he received a gift from his friend.

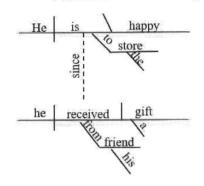

⑧ He couldn't go to the party since he was feeling sick.

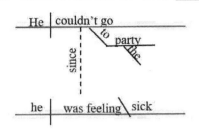

⑨ We chatted with our friends while we were waiting in line.

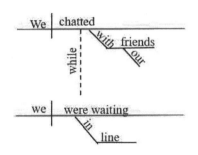

⑩ They studied hard because they wanted to get good grades.

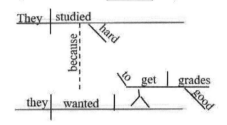

┃해석
① 비가 그치면 우리는 밖에서 놀 수 있다.
② 집에 도착하면 즉시 전화할 거야.
③ 그녀는 잠들기 전에 차를 마시는 것을 좋아한다.
④ 비가 내리는데도 그들은 공원에 갔다.
⑤ 나는 숙제를 끝내면 가게에 갈 거야.
⑥ 그녀는 슬플 때마다 아이스크림을 먹는 것을 좋아한다.
⑦ 친구로부터 선물을 받은 이후로 그는 행복하다.
⑧ 그는 아파서 파티에 갈 수 없었다.
⑨ 우리는 줄을 기다리는 동안 친구들과 이야기했다.
⑩ 그들은 좋은 성적을 받고 싶어서 열심히 공부했다.

┃해설
위 예문은 문장 두 개가 접속사를 사이에 두고 이어져 있다. 접속사는 이어진 두 문장의 의미 관계를 잘 나타내준다. 두 개의 문장은 각각 어떤 문장 요소도 빠짐이 없는 완벽한 문장이다. 이 문장들 사이에 접속사가 의미의 관계에 따라 다양하게 쓰였다.

┃어휘
as soon as ~하자마자 whenever ~할 때 마다 since ~ 때문에, ~한 이후로 chat 이야기 하다 wait in line 줄서다 grade 성적

연습문제 2.

▍정답

① He asked me if I could attend the party.

```
                              if
                              ┊
                      I │ could attend │ party
                            ╲       ╱      ╲the
                             ╲     ╱
   He │ asked  │
             ╲ me
```

② She asked if he had finished his work.

```
                              if
                              ┊
                    he │ had finished │ work
                          ╲        ╱     ╲his
                           ╲      ╱
   She │ asked │
```

③ I wonder whether it will rain tomorrow.

```
                          whether
                             ┊
                     it │ will rain
                         ╲      ╱  ╲tomorrow
                          ╲    ╱
   I │ wonder  │
```

④ She asked me whether I had seen her keys.

```
                          whether
                             ┊
                     I │ had seen │ keys
                        ╲      ╱      ╲her
                         ╲    ╱
   She │ asked │
            ╲ me
```

⑤ I don't know whether she will come to the party.

```
                        whether
                           ┊
                  she │ will come
                       ╲      ╱ ╲to  party
                        ╲    ╱       ╲the
   I │ don't know │
```

⑥ They wondered if the train would be on time.

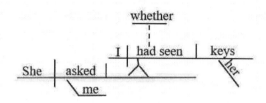

⑦ He asked me if I wanted to join him for lunch.

```
                       if      ╲to  join │ him
                       ┊          ╲     ╱ ╲to lunch
               I │ wanted │        ╲   ╱
                          ╲       ╱
   He │ asked  │
```

⑧ She asked him whether he wanted to go for a swim.

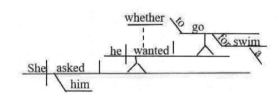

⑨ They wondered if the concert tickets were still available.

```
                          if
                          ┊
            tickets │ were ╲ available
             ╲the ╲concert      ╲still
                      ╲    ╱
   They │ wondered │
```

⑩ He couldn't remember whether he had finished his homework.

```
                            whether
                               ┊
               he │ had finished │ homework
                    ╲        ╱       ╲his
                     ╲      ╱
   He │ couldn't remember │
```

▌ 해석

① 그는 내가 파티에 참석할 수 있는지 물었다.

② 그녀는 그가 일을 끝냈는지 물었다.

③ 나는 내일 비가 올지 궁금하다.

④ 그녀는 내가 그녀의 열쇠를 보았는지 물었다.

⑤ 나는 그녀가 파티에 올지 모른다.

⑥ 그들은 기차가 정시에 도착할지 궁금했다.

⑦ 그는 나에게 점심 함께 할 지 물었다.

⑧ 그녀는 그가 수영하러 가고 싶어하는 지 물었다.

⑨ 콘서트 티켓이 아직도 구할 수 있는지 궁금했다.

⑩ 그는 숙제를 끝냈는지 기억하지 못했다.

▌ 해설

위 예문은 주된 문장 안에 작은 문장이 안겨있는 상황이다. 안긴 문장은 안은 문장의 필수 요소로 역할을 하고 있다. 반대로 안은 문장은 안긴 문장이 없이는 의미의 완결을 할 수 없다. 위의 예문의 모든 안긴 문장은 안은 문장의 목적어(~를) 역할을 한다. 안긴 문장은 접속사(딱풀)을 앞세우고 주된 문장 안에 들어가 있다고 보면 된다.

▌ 어휘

attend 참석하다   whether ~인지아닌지   on time 정시에

연습문제 3.

┃ 정답

① I hope that you can join us for dinner.

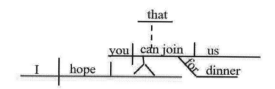

② I believe that honesty is the best policy.

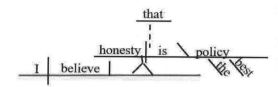

③ He mentioned that he had a meeting later.

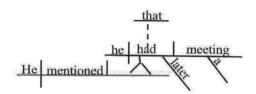

④ She said that she would come to the party.

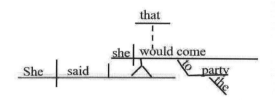

⑤ The belief that hard work pays off is true.

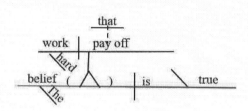

⑥ I know that he is passionate about his work.

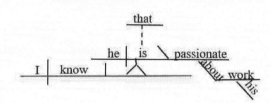

⑦ I heard that they are planning a trip next month.

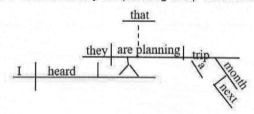

⑧ They made it clear that they would keep the secret.

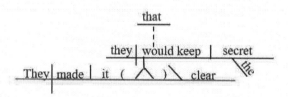

⑨ The idea that honesty is the best policy is widely accepted.

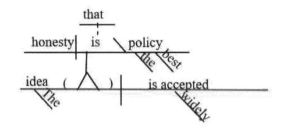

⑩ It is true that education plays a crucial role in personal development.

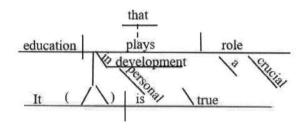

▌해석
① 네가 우리와 저녁 식사에 참여할 수 있기를 희망한다.
② 나는 정직이 최상의 정책이라고 믿는다.
③ 그는 나중에 회의가 있다고 언급했다.
④ 그녀가 파티에 올 것이라고 말했다.
⑤ 열심히 일하는 것이 보람을 가져다준다는 믿음은 사실이다.
⑥ 나는 그가 자신의 일에 열정적이라는 것을 안다.
⑦ 나는 그들이 다음 달에 여행을 계획하고 있다는 소문을 들었다.
⑧ 그들은 비밀을 지킬 것이라고 분명히 했다.
⑨ 정직이 최상의 정책이라는 생각은 널리 받아들여진다.
⑩ 교육이 개인 발전에 중요한 역할을 한다는 것은 사실이다.

▌해설
예문①,②,③,④,⑥,⑦에서 안긴 문장은 안은 문장의 목적어(~를) 역할을 한다. 안은 문장은 안긴 문장이 없이는 의미의 완결을 할 수 없다. 안긴 문장은 접속사(딱풀)을 앞세우고 주된 문장 안에 들어가 있다고 보면 된다. 예문⑤,⑨에서 안긴 문장은 바로 앞에 있는 belief의 상세 내용에 해당한다. 이 안긴 문장 없이도 안은 문장은 의미의 완결을 맺을 수 있다. 다만 이 예문의 안긴 문장은 바로 앞 단어 (belief)의 상세 내용이다. 이는 소위 '동격 (같은 격)의 that 절'이라 불리기도 한다. 예문⑧에서 안긴 문장은 문장의 가짜 목적어(가목적어) it의 상세 내용에 해당하며 이는 진짜 목적어(진목적어)라 불린다. 한편 예문⑩에서 접속사 that이 이끄는 안긴 문장은 문장의 가짜 주어(가주어) it의 상세 내용에 해당하며 이는 진짜 주어(진주어)라 불린다.

▌어휘
policy 정책 mention 언급하다 belief 믿음 pay off 보람을 가져다 주다 passionate 열정적인 keep secret 비밀을 지키다 honesty 정직 widely 널리 accepted 받아들여진 education 교육 crucial 중요한 personal 개인적인 development 개발

p. 57

연습문제 1.

▌정답
① The boy who is wearing a red hat is my brother.
② The shirt that I bought is too small for me.
③ The dog that barks loudly belongs to our neighbor.
④ The teacher whom I admire is very knowledgeable.
⑤ The movie that we watched last night was really exciting.
⑥ The person who called me on the phone was my friend.
⑦ The restaurant where we had dinner serves delicious food.
⑧ The book that I borrowed from the library is very interesting.
⑨ The house where I grew up is located in the countryside.
⑩ The day when Tom arrived from Korea was my birthday.

▌해석
① 빨간 모자를 쓴 소년은 나의 동생이다.
② 내가 샀던 셔츠는 내게 너무 작다.
③ 크게 짖는 개는 우리 이웃의 것이다.
④ 나는 존경하는 선생님은 매우 유식하다.
⑤ 우리가 어젯밤에 본 영화는 정말 흥미롭다.
⑥ 나를 전화한 사람은 내 친구였다.
⑦ 우리가 저녁을 먹었던 식당은 맛있는 음식을 제공한다.
⑧ 내가 도서관에서 빌려온 책은 매우 흥미롭다.
⑨ 나는 자라난 집이 시골에 위치한다.
⑩ 톰이 한국에서 도착한 날이 나의 생일이었다.

▌해설
관계사는 관계대명사 (= 접속사 + 대명사)와 관계부사 (= 접속사 + 부사)를 통칭하는 말이다. 대명사는 앞에 언급된 물건이나 사람을 대신하는 말로 he, she, it, they에 해당한다. 한편 부사는 when, where, why, how에 관한 말이다. 관계사가 이끄는 안긴 문장은 관계사 바로 앞에 나온 말에 대한 상세 설명이다. 예를 들어 예문 ①에서 안긴 문장 'who is wearing a red hat'에서 who는 and he를 대신한 말로 바로 앞에 있는 'the boy'가 누군지 더 상세히 말해준다. 예문 ②,③,④,⑤,⑥,⑧의 안긴 문장도 마찬가지다. 또한, 각 문장의 관계사는 안긴 문장내에서 주어(~가), 또는 목적어 (~를) 역할을 한다. 한편 예문 ⑦,⑨,⑩,의 안긴 문장에서 관계사는 접속사와 부사(when, where how에 관한 내용) 역할을 한다.

▌어휘
bark 짖다 loudly 크게 belong to ~에 속하다 admire 존경하다 knowledgeable 유식한 serve 제공하다 be located ~에 위치되다 arrive 도착하다

p. 57

정답

① My sister, who lives in London, is coming to visit us.

② John's car, which is red, is parked in the driveway.

③ Sarah's cat, which is named Max, loves to play with yarn.

④ My favorite book, which I read last summer, is a thrilling mystery.

⑤ The concert, which was held in the park, attracted a large crowd.

⑥ The Eiffel Tower, which is located in Paris, is a famous landmark.

⑦ The movie, which won several awards, is now available on DVD.

⑧ My uncle, who is a doctor, gave me some valuable medical advice.

⑨ The restaurant, which has a cozy atmosphere, is known for its delicious pasta.

⑩ The old house, which was built in the 1800s, has a lot of historical significance.

해석

① 내 동생은 런던에 살고 있는데, 우리를 방문하러 온다.

② 존의 차는 빨간색이며, 집 정원에 주차되어 있다.

③ 사라의 고양이는 맥스라는 이름을 가졌는데, 실을 좋아해서 놀기를 좋아한다.

④ 지난 여름에 읽은 내가 가장 좋아하는 책은 스릴 넘치는 미스터리 소설이다.

⑤ 공연은 공원에서 열렸는데, 큰 사람들로 이루어진 대규모 관객을 끌었다.

⑥ 에펠탑은 파리에 위치해 있는데, 그것은 유명한 랜드마크이다.

⑦ 그 영화는 여러 상을 받았는데, 지금은 DVD로 구할 수 있다.

⑧ 나의 삼촌은 의사인데, 나에게 값진 의학적 조언을 해 주었다.

⑨ 그 식당은 아늑한 분위기를 자랑하며, 맛있는 파스타로 유명하다.

⑩ 그 오래된 집은 1800년대에 지어졌는데, 많은 역사적 중요성을 지니고 있다.

해설

연습문제 1과 달리 연습문제 2의 모든 예문에는 관계사 앞에 콤마가 있다. 콤마 뒤 관계사가 이끄는 안긴 문장은 바로 앞의 말에 대한 부가적 또는 추가적인 정보이다. 사실 이 추가 정보가 없어도 의미 전달에 부족함은 없다. 콤마 이후 안긴 문장은 바로 앞의 명사에 대해 추가적으로 정보를 더 전하고 싶은 화자의 의도가 들어 있다. 콤마가 있든 없든 관계사절의 문장 선 그림에는 변함이 없다.

어휘

thrilling 스릴 넘치는 attract 이끌다 crowd 관객 locate 위치하다 award 상 cozy 아늑한 atmosphere 분위기 significance 중요성

┃ 정답

① The shirt that I bought is too small for me.

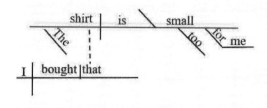

② The dog that barks loudly belongs to our neighbor.

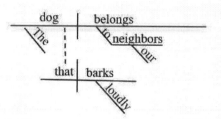

③ The teacher whom I admire is very knowledgeable.

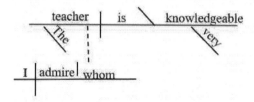

④ The boy who is wearing a red hat is my brother.

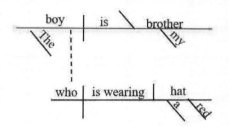

⑤ The car which is parked outside belongs to my neighbor.

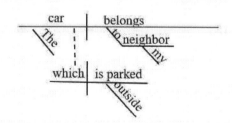

⑥ The house that I purchased is located in the countryside.

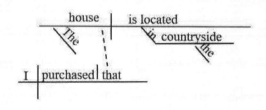

⑦ The movie that we watched last night was really exciting.

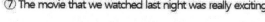
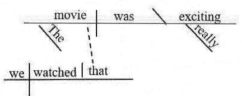

⑧ The person who called me on the phone was my friend.

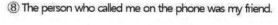
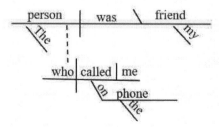

⑨ The restaurant which he recommended serves delicious food.

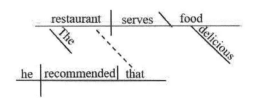

⑩ The book that I borrowed from the library is very interesting.

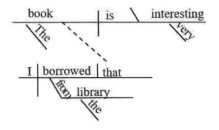

▌해석

① 내가 산 셔츠는 나에게 너무 작다.
② 크게 짖는 개는 우리 이웃의 것이다.
③ 나는 존경하는 선생님은 매우 유식하다.
④ 빨간 모자를 쓴 소년은 나의 동생이다.
⑤ 밖에 주차된 차는 내 이웃의 것이다.
⑥ 내가 구매한 집은 시골에 위치한다.
⑦ 어젯밤에 우리가 본 영화는 정말 흥미로웠다.
⑧ 전화로 나를 부른 사람은 내 친구였다.
⑨ 그가 추천한 식당은 맛있는 음식을 제공한다.
⑩ 나는 도서관에서 빌려온 책이 매우 흥미롭다.

▌해설

관계대명사가 이끌고 있는 문장은 위의 그림처럼 점선으로 주된 문장과 잇는다. 여기서 점선의 위치는 해당 관계사가 가르키는 명사 바로 밑이다. 또한 관계사는 그 안긴 문장에서 하는 역할에 따라 원래 위치에 가져다 놓는다. 예를 들어 예문 ①에서 관계사 'that'은 그 안긴 문장내의 목적어 (~을)에 해당하기 때문에 원래대로 동사 'bought' 뒤로 되돌려 놓는다.

▌어휘

bark 짖다 loudly 크게 belong to ~에 속하다 admire 존경하다 knowledgeable 유식한
be located ~에 위치되다 recommend 추천하다 serve 제공하다

연습문제 2.

∎ 정답

① John's car, which is red, is parked in the driveway.

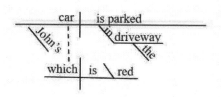

② My sister, who lives in London, is coming to visit us.

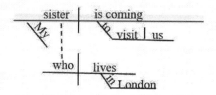

③ Sarah's cat, which is named Max, loves to play with yarn.

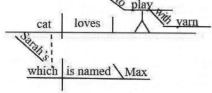

④ My favorite book, which I read last summer, is a thrilling mystery.

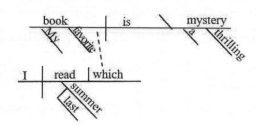

⑤ The concert, which was held in the park, attracted a large crowd.

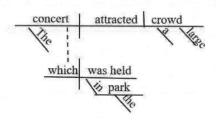

⑥ The Eiffel Tower, which is located in Paris, is a famous landmark.

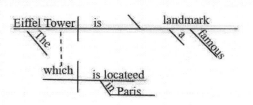

⑦ The movie, which won several awards, is now available on DVD.

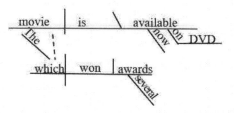

⑧ My uncle, who is a doctor, gave me some valuable medical advice.

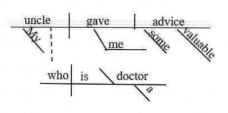

⑨ The restaurant, which has a cozy atmosphere, is known for its delicious pasta.

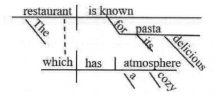

⑩ The old house, which was built in the 1800s, has a lot of historical significance.

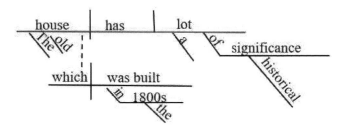

▌해석

① 존의 빨간색 차는 진입로에 주차되어 있다.

② 런던에 살고 있는 내 여동생은 우리를 방문하러 온다.

③ 맥스라고 이름 지어진 사라의 고양이는 실을 좋아한다.

④ 내가 지난 여름에 읽은 내 즐겨 읽는 책은 긴장감 넘치는 미스터리이다.

⑤ 공원에서 열린 콘서트는 많은 사람들을 끌었다.

⑥ 파리에 위치한 에펠탑은 유명한 랜드마크이다.

⑦ 여러 상을 받은 그 영화는 이제 DVD로 구매가능하다.

⑧ 의사인 내 삼촌은 나에게 가치 있는 의학적 조언을 해주었다.

⑨ 아늑한 분위기를 갖춘 그 식당은 맛있는 파스타로 유명하다.

⑩ 1800년대에 지어진 그 오래된 집은 많은 역사적 의미가 있다.

▌해설

연습문제 1과 달리 연습문제 2의 모든 예문에는 관계사 앞에 콤마가 있다. 콤마 뒤 관계사가 이끄는 안긴 문장은 바로 앞의 말에 대한 부가적 또는 추가적인 정보이다. 사실 이 추가 정보가 없어도 의미 전달에 부족함은 없다. 콤마 이후 안긴 문장은 바로 앞의 명사에 대해 추가적으로 정보를 더 전하고 싶은 화자의 의도가 들어 있다. 콤마가 있는 없든 관계사절의 문장 선 그림에는 변함이 없다.

▌어휘

driveway 진입로 yarn 실타래 thrilling 긴장감 넘치는 mystery 미스터리, 의문스러운 일 be held 개최되다 attract 끌어들이다 crowd 군중 be located 위치하다 award 상 available 이용가능한 valuable 가치로운 medical 의학적 cozy 아늑한 atmosphere 분위기 historical 역삭적 significance 중요

연습문제 3.

▌정답

① I believe what he told me.

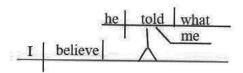

② Show me what you bought.

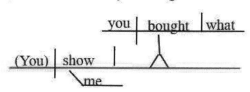

③ He'll give you what you need.

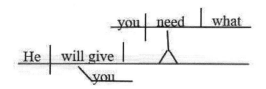

④ What he did was morally wrong.

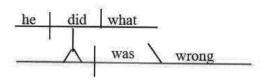

⑤ Tell me what you want for dinner.

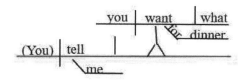

⑥ I can't find what I'm looking for.

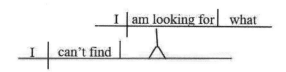

⑦ I want to know what he thinks.

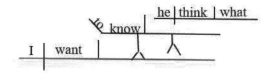

⑧ Can you describe what you saw?

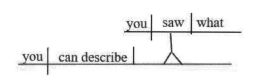

⑨ What you said is absolutely right.

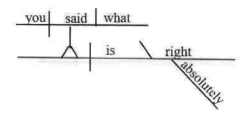

⑩ I don't understand what you're saying.

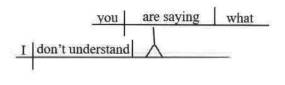

① 그가 나에게 말한 것을 믿는다.
② 네가 샀던 것을 내게 보여줘.
③ 그가 네가 필요한 것을 줄 것이다.
④ 그가 한 일은 도덕적으로 잘못된 것이다.
⑤ 저녁으로 무엇을 원하는지 내게 말해봐.
⑥ 내가 찾고 있는 것을 찾을 수 없어.
⑦ 나는 그가 무엇을 생각하는지 알고 싶다.
⑧ 네가 본 것을 설명할 수 있니?
⑨ 네가 한 말은 완전히 맞는 것이다.
⑩ 네가 말하는 것을 이해하지 못해.

┃ **해설**

위의 모든 예문에서 what은 안긴 문장의 일부로 무엇 또는 ~것으로 해석된다. 한국식 문법에서 대부분 무엇으로 해석되는 것을 의문사라 분류하고 ~것으로 해석되는 것을 관계대명사라 분류하지만 위의 선그림에서도 확인되는 바와 같이 실제로 영어에서는 의문사로서 what 이나 관계사로서 what은 별 차이가 없다. 그러므로 what이 의문사로 쓰였는지 관계대명사로 쓰였는지를 구별하는 것은 의미가 없다. 다만 위의 예문들을 정확히 선그림을 그릴 수 있는 게 중요하다. 좀 더 세부적으로 보자면 예문 ④, ⑨에서 what이 이끄는 안긴문장은 전체 문장의 주어(~가) 역할을 하고 나머지 예문에서는 목적어(~를) 역할을 한다는 점을 이해해야 한다.

┃ **어휘**

morally 도덕적으로   describe 묘사하다   absolutely 완전하게

p.65

▮ 정답

① She showed me what she had found.

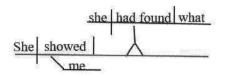

② He explained to me what had happened.

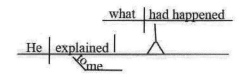

③ Show me what you've been working on lately.

④ She showed me what true friendship means.

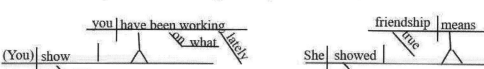

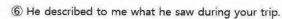

⑤ Explain to me what you want for your birthday.

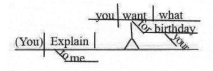

⑥ He described to me what he saw during your trip.

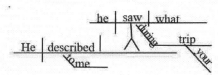

⑦ Share with me what inspired you to pursue this career.

⑧ What he built was a remarkable piece of engineering.

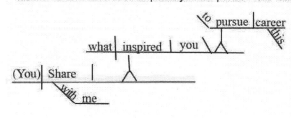

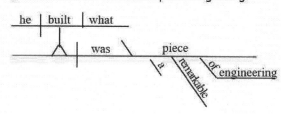

⑨ What they chose to wear was inappropriate for the formal event.

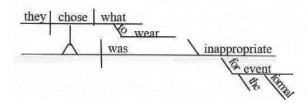

⑩ Inform me what your preferred choice is for the upcoming event.

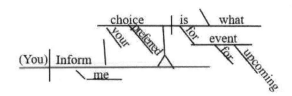

해석
① 그녀는 내게 그녀가 발견한 것을 보여주었다.
② 그는 내게 무엇이 일어났는지 설명했다.
③ 최근에 네가 작업한 것을 내게 보여줘.
④ 그녀는 진정한 우정이 무엇인지 내게 보여주었다.
⑤ 네 생일을 위해 원하는 것을 나에게 설명해 줘.
⑥ 그는 여행 중에 그가 본 것을 나에게 묘사했다.
⑦ 네가 이 직업을 추구하는 데 영감을 준 것을 나와 공유해 줘.
⑧ 그가 만든 것은 놀라운 공학 작품이었다.
⑨ 그들이 선택한 옷은 격식 있는 행사에 적합하지 않았다.
⑩ 다가오는 행사에 대해 네가 선호하는 선택을 나에게 알려 줘.

해설
위의 예문 ⑧,⑨에서 what이 이끄는 안긴문장은 전체 문장의 주어(~가) 역할을 하고 나머지 예문에서는 목적어(~를) 역할을 한다. 'what'과 관련하여 유의할 점은 주어진 예문에서 what이 안긴 문장의 맨 앞쪽에 위치하지만 선 그림을 그릴 때는 'what'이 안긴 문장 내에서 주어 역할을 하면 주어 자리에 목적어 역할을 하면 목적어 자리 (동사 뒤 쪽)에 배치 한다는 점이다. 예문 ①,③,④,⑤,⑥,⑧,⑨에서 'what'은 안긴 문장 내 목적어 역할을 하고 있다. 한편 예문 ②,⑦에서는 안긴 문장내에서 주어 역할을 하고 있다. 끝으로 예문 ⑩에서 what이 이끄는 안긴문장은 주어를 위한 필수 보충어 (주격 보어) 역할을 하고 있다.

어휘
friendship 우정 describe 묘사하다 inspire 영감을 주다 pursue 추구하다 career 직업 remarkable 놀라운 inappropriate 부적절한 formal 공식적인 inform 알리다 prefer 선호하다 upcoming 다가오는

연습문제 5.

┃정답

① Tell me what your name is.

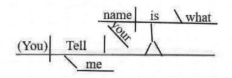

② I don't know where she lives.

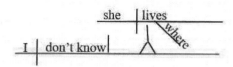

③ I can't predict what he will tell me.

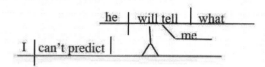

④ Ask him how he will go to the party.

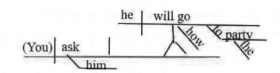

⑤ Show me what you will wear to the party.

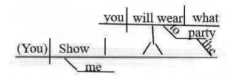

⑥ Ask him when he will go to the meeting.

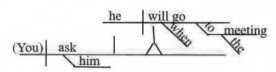

⑦ Can you tell me why he will go to the meeting.

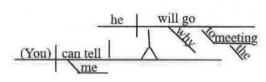

⑧ What the rumor is about does not matter at all.

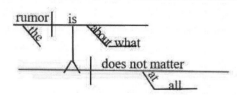

⑨ Whether we travel by boat or not is up to you.

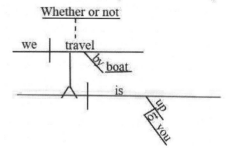

⑩ How you express your anger affects others' feelings.

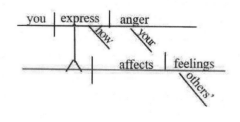

① 너의 이름이 무엇인지 말해줘.
② 그녀가 어디에 살고 있는지 모른다.
③ 그가 나에게 무엇을 말할지 예측할 수 없다.
④ 그에게 파티에 어떻게 갈 건지 물어봐.
⑤ 파티에 입을 것을 보여줘.
⑥ 그에게 회의에 언제 갈 건지 물어봐.
⑦ 그가 회의에 왜 갈지 말해 줄 수 있니?
⑧ 소문이 뭐에 관한 건지는 전혀 중요하지 않다.
⑨ 우리가 배로 여행할 지 여부는 너에게 달려 있다.
⑩ 너가 분노를 어떻게 표현하느냐가 다른 사람들의 감정에 영향을 미친다.

■ 해설
위의 예문①,②,③,④,⑤,⑥,⑦에서 'what, where, how, when, why' 등이 이끄는 안긴문장은 전체 문장의 목적어(~를) 역할을 한다. 한편 예문 ⑧,⑨,⑩에서는 전체 문장의 주어 (~가) 역할을 한다.

■ 어휘
predict 예측하다   rumor 소문   matter 중요하다   be up to ~에 달려있다   express 표현하다
anger 화   affect 영향을 미치다

p. 68

▮정답

① This is the place where we first met.

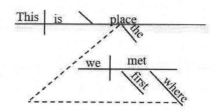

② Do you remember the day when we first met?

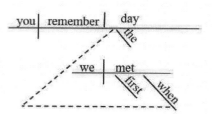

③ I visited the town where I spent my childhood.

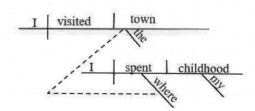

④ Let me show you the way the system functions.

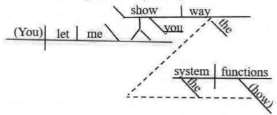

⑤ I found a quiet spot where I could read my book.

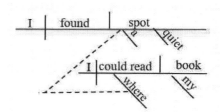

⑥ The time when the sun sets is my favorite part of the day.

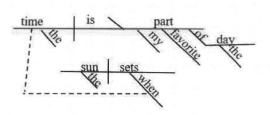

⑦ He explained the reason why he was late to the meeting.

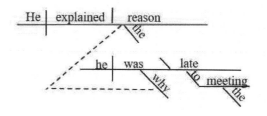

⑧ Can you tell me the reason why the project was postponed?

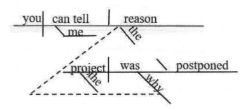

⑨ The period when she lived abroad shaped her perspective.

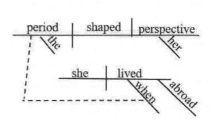

⑩ I'll demonstrate to you the way the software operates.

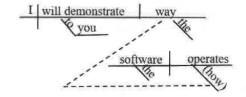

① 여기가 우리가 처음 만난 곳이다.

② 우리가 처음 만난 날을 기억하니?

③ 나는 어릴 적을 보냈던 마을을 방문했다.

④ 시스템이 작동하는 방법을 보여줄게.

⑤ 책을 읽을 수 있는 조용한 자리를 찾았다.

⑥ 해가 지는 시간이 하루 중 가장 좋아하는 시간이다.

⑦ 그는 회의에 늦은 이유를 설명했다.

⑧ 프로젝트가 연기된 이유를 말해줄 수 있니?

⑨ 그녀가 해외에서 생활한 기간이 그녀의 시각(관점)을 형성했다.

⑩ 소프트웨어가 작동하는 방법을 너에게 시연 해줄게.

해설

위의 예문에서 'when, where, why, how'가 이끄는 안긴 문장은 바로 앞에 말에 대한 세부 설명이다. 예를 들어 예문 ①에서 where가 이끄는 안긴 문장은 선그림에서 보이다시피 바로 앞에 있는 말인 'the place'를 수식한다. 예문 ③에서는 'the town'을 예문 ⑤에서는 'a quiet spot'을 각각 수식한다. 한편 예문 ②, ⑥, ⑨에서 'when'이 이끄는 안긴문장도 바로 앞의 말인 'the day, thee time, the period'를 각각 수식한다. 예문 ⑦, ⑧에서 'why'가 이끈 문장은 바로 앞의 말이 'the reason'을 수식한다.

여기서 한 가지 주의할 사항은 예문 ④, ⑩에서처럼 'the way' 뒤에는 'how'가 함께 쓰일 것 같지만 실제로는 'the way' 나 'how'중 하나를 쓴다. 'the way how'라고는 잘 쓰지 않는다는 점을 기억할 필요가 있다.

어휘

function 작동하다 spot 지점 set 해가 지다 postpone 미루다 period 기간
perspective 관점 demonstrate 시연해보이다 operate 작동하다.

연습문제 7.

정답

① She asked me when the next train would arrive.

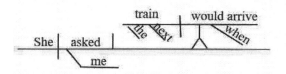

② Tell me where you found that interesting article.

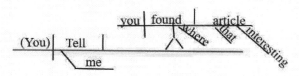

③ I wonder why he decided to change his career.

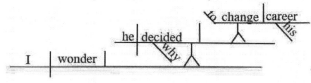

④ He questioned why the company chose to relocate.

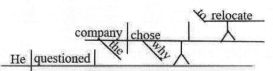

⑤ They asked us when the event was scheduled to start.

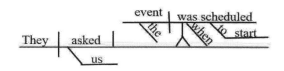

⑥ Do you know when the new software will be released?

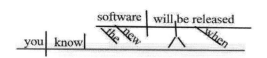

⑦ Could you explain where you got those fantastic shoes?

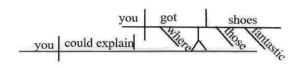

⑧ Tell us where you plan to spend your summer vacation.

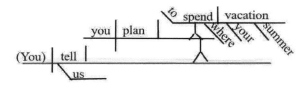

⑨ He inquired why the project time-line was extended.

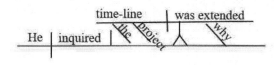

⑩ Please share with me how you achieved such remarkable success.

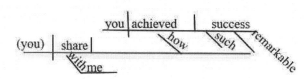

해석

① 그녀는 다음 기차가 도착할 시간을 내게 물었다.

② 그 흥미로운 기사를 발견한 곳을 내게 말해줘.

③ 그가 왜 자신의 직업을 바꾸기로 결정했는지 궁금하다.

④ 그는 회사가 이전하기로 선택한 이유를 의심했다.

⑤ 그들은 행사가 언제 시작될 예정인지 우리에게 물었다.

⑥ 새 소프트웨어가 언제 출시될지 알고 있니?

⑦ 그 훌륭한 신발을 어디서 구했는지 설명해 줄 수 있니?

⑧ 여름 휴가를 어디에서 보내기로 계획했는지 말해줘.

⑨ 그는 프로젝트 일정이 연장된 이유를 물었다.

⑩ 어떻게 이렇게 놀라운 성공을 거둔 건지 나에게 알려줄래?

▌해설

위의 예문에서 'when, where, why, how'가 이끄는 안긴 문장은 전체 문장의 목적어(~를) 역할을 한다. 그리고 전체 문장의 동사는 주로 '묻다, 말해줘, 공유해 줘'와 같은 말이 나온다. 따라서 위의 예문들은 상대에게 간접적으로 질문하는 것이라 볼 수 있다. 이를 두고 한국식 영문법에서는 간접 의문문이라는 용어를 쓰면서 '의문사 + 주어 + 동사'의 어순으로 쓴다는 사실을 외우라고 한다. 하지만 이것 역시 외울 게 아니라 그저 이해하면 된다. 위 예문의 안긴 문장들은 말 그대로 문장 안에 안긴 문장이라 의문문이 아니다. 그러니 모든 문장들의 어순처럼 '주어 먼저 동사 나중'의 원칙을 따르는 것이다.

▌어휘

arrive 도착하다   article 기사   decide 결심하다   career 일, 직업   question 의문을 가지다
relocate 재배치하다   schedule 시간을 정하다   release 출시하다   fantastic 멋진
inquire 질문하다   time-line 일정   extend 연장하다   achieve 성취하다   remarkable 대단한

Day 11. 동사ing (분사)

p. 75

연습문제 1.

정답

① **Smiling** (smile), she hugged the panting dog.

② **(Having been) Shaken** (shake), he walked away from the wrecked car.

③ **Whistling** (whistle) to himself, he walked down the road.

④ **Dropping** (drop) the gun, she put her hands in the air.

⑤ **Putting** (put) on his coat, he left the house.

⑥ **Being** (be) poor, he didn't spend much on clothes.

⑦ **Knowing** (know) that his mother was coming, he cleaned the flat.

⑧ He whispered, **thinking** (think) his brother was still asleep.

⑨ **(Having been) informed** (inform), they immediately took action to resolve the issue.

⑩ **(Having been) praised** (praise), he felt a sense of accomplishment.

해석

① 웃으면서, 그녀는 숨을 헉헉거리는 개를 안았다.

② 큰 충격을 받고, 그는 사고당한 차에서 걸어 나왔다.

③ 휘파람을 불며, 그는 길 아래로 걸어 내려갔다.

④ 총을 떨어트리며, 그녀는 두 손을 공중으로 들어 올렸다.

⑤ 코트를 입으며, 그는 집을 나섰다.

⑥ 가난했기 때문에, 그는 옷에 돈을 많이 안 썼다.

⑦ 그의 엄마가 온다는 사실을 알았기 때문에, 그는 아파트를 청소했다.

⑧ 남동생이 여전히 자고 있다고 생각했기 때문에, 그는 속삭였다.

⑨ 정보를 얻고 나서, 그들은 당장 문제를 해결하기 위해 조치를 취했다.

⑩ 칭찬을 받고, 그는 성취감을 느꼈다.

해설

문장을 압축한다는 말은 반복되는 정보는 최대한 없애고 효율적으로 의사를 전달한다는 것이다. 위의 각 예문은 주 문장(주절) 과 하위 문장(종속절)이 접속사로 이어진 형태이다. 두 문장 중 어느 것이 하위 문장인지 구분하는 방법은 둘 중 부수적 내용(when, where, why, how에 관한 내용)을 담고 있는 문장이 바로 하위 문장 즉 종속절에 해당한다. 하위 문장(종속절)의 주어가 주 문장(주절)의 주어와 같으면 주로 생략한다. 물론 생략하지 않을 때도 있다. 그건 말하는 사람이 그 주어를 명확히 하고 싶기 때문이다. 하위 문장(종속절)의 동사의 시제(시간의 정보)와 같을 경우 역시 생략한다. 하지만 예문 ②, ⑨, ⑩에서와 같이 하위 문장의 동사 시제가 주 문장의 동사 보다 먼저 일어난 일일 경우 'have + -ed (과거분사)'를 사용해서 동사가 이미 먼저 일어난 일임을 표시해야 한다. 그리고 have에 '-ing'를 붙인 'having+ -ing'를 써서 하위 문장(종속절)을 간결하게 만든다.

▌어휘

hug 안다   pant 숨을 헐떡거리다   wrecked 손상된 (a car wreck = a car accident)
whistle 휘파람을 불다   flat 아파트   whisper 속삭이다   aslee 잠든   inform 정보를 주다
immediately 당장   take action 조치를 취하다   resolve 해결하다   issue 문제   praise 칭찬하다
a sense of accomplishment 성취감

p. 78

연습문제 1.

▌정답

① We cleaned the house, humming a tune.

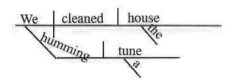

② We cooked dinner, laughing and chatting.

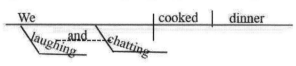

③ He fixed the car, listening to the radio.

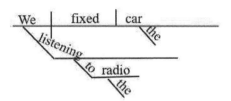

④ He wrote a letter, sitting at the kitchen table.

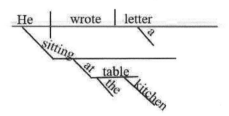

⑤ They played soccer, cheering on their team.

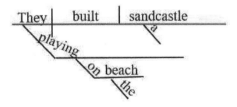

⑥ Emily painted a picture, sitting at her desk.

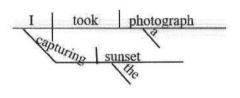

⑦ They built a sandcastle, playing on the beach.

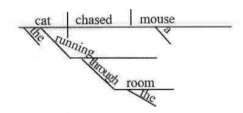

⑧ I took a photograph, capturing the sunset.

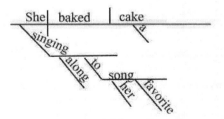

⑨ The cat chased a mouse, running through the room.

⑩ She baked a cake, singing along to her favorite song.

▍ 해석

① 우리는 노래를 부르며 집을 청소했다.
② 우리는 웃으며 이야기를 나누며 저녁 식사를 준비했다.
③ 그는 라디오를 들으며 차를 수리했다.
④ 그는 부엌 테이블에 앉아 편지를 썼다.
⑤ 그들은 자신들의 팀을 응원하며 축구를 했다.
⑥ 에밀리는 책상에 앉아 그림을 그렸다.
⑦ 그들은 해변에서 놀며 모래성을 쌓았다.
⑧ 나는 일몰을 담아 사진을 찍었다.
⑨ 고양이는 방 안을 뛰어다니며 쥐를 쫓았다.
⑩ 그녀는 자신의 좋아하는 노래를 따라 노래하며 케이크를 굽다.

▍ 해설

위 예문에는 현재분사 (-ing) 앞에 콤마(,)가 있다. 즉 바로 앞에 있는 말의 하위 정보가 아니라 문장의 주어의 하위 정보라는 표시이다. 그래서 선 그림을 그릴 때 위의 그림처럼 현재분사가 있는 구문은 주어 밑에 가져다 놓아야 한다.

▍ 어휘

hum 흥얼거리다　tune 곡조　chat 재잘거리다　cheer 응원하다　sandcastle 모래성
capture 포착하다　sunset 일몰　chase 쫓다　sing along 따라부르다

p. 80

연습문제 2.

▍ 정답

① He found a coin lying on the sidewalk.

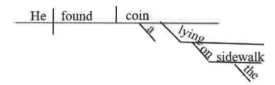

② He caught a fish swimming in the river.

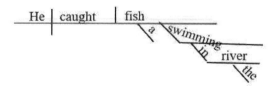

③ I saw a rainbow stretching across the sky.

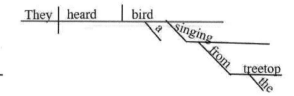

④ They heard a bird singing from the treetop.

⑤ She noticed a spider crawling up the wall.

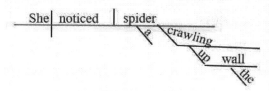

⑥ Sarah painted a picture hanging on the wall.

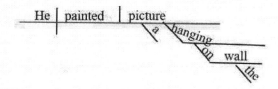

⑦ They observed a squirrel leaping from tree to tree.

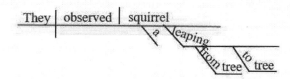

⑧ The cat chased a mouse hiding behind the couch.

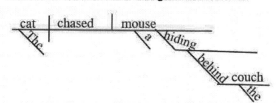

⑨ The child watched a butterfly fluttering among the flowers. ⑩ We witnessed a shooting star moving quickly through the night.

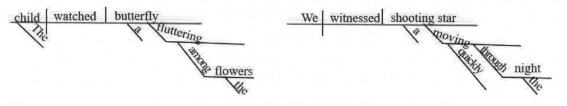

❚ 해석

① 그는 보도 위에 누워 있는 동전을 발견했다.

② 그는 강에서 헤엄치는 물고기를 잡았다.

③ 나는 하늘에 걸쳐 뻗어 있는 무지개를 보았다.

④ 그들은 나무 꼭대기에서 노래하는 새 소리를 들었다.

⑤ 그녀는 벽을 기어오르는 거미를 알아챘다.

⑥ 사라는 벽에 걸려 있는 그림을 그렸다.

⑦ 그들은 나무에서 나무로 뛰어오르는 다람쥐를 관찰했다.

⑧ 고양이는 쇼파 뒤에 숨어 있는 쥐를 쫓았다.

⑨ 그 아이는 꽃 사이를 나는 나비를 지켜보았다.

⑩ 우리는 밤하늘을 빠르게 지나가는 유성을 목격했다.

❚ 해설

위 예문에는 현재분사 (-ing) 앞에 콤마(,)가 없다. 현재분사 (동사원형 ing) 가 있는 구문은 바로 앞에 있는 말의 하위 정보라는 표시이다. 그래서 선 그림을 그릴 때 위의 그림처럼 바로 앞의 단어 바로 아래에 현재분사가 있는 구문을 위치시킨다.

❚ 어휘

lying (lie-lay-lain 놓여있다. 눕다) 놓여있는 sidewalk 보도 stretch 뻗어있다 notice 알아채다 crawl 기다 hang 매달려있다 observe 관찰하다 squirrel 다람쥐 leap 뛰어 오르다 chase 쫓다 flutter 나풀거리다 witness 목격하다 shooting star 유성

▌정답

① I like painting pictures.

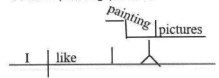

② They enjoy listening to music.

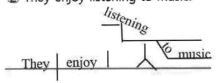

③ Running every morning keeps me fit.

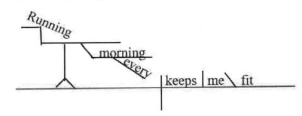

④ We appreciate receiving thoughtful gifts.

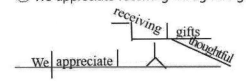

⑤ Practicing yoga regularly relaxes the mind.

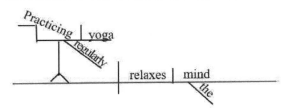

⑥ Exploring new cultures broadens our horizons.

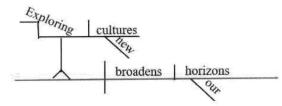

⑦ Baking delicious cookies brings joy to the family.

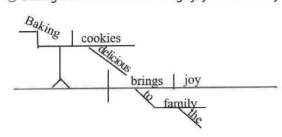

⑧ Learning new vocabulary words improves language skills.

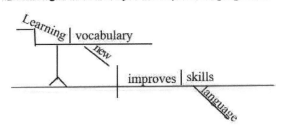

⑨ Volunteering at the local shelter is a fulfilling experience.

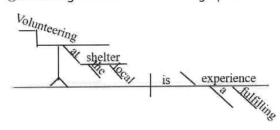

⑩ Traveling to different countries exposes us to diverse perspectives.

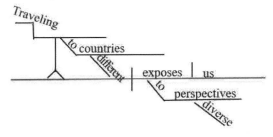

▌해석

① 나는 그림을 그리는 것을 좋아한다.

② 그들은 음악을 듣는 것을 즐긴다.

③ 매일 아침 뛰는 것은 나를 건강하게 유지한다.

④ 우리는 배려심 깊은 선물을 받는 것을 감사히 여긴다.

⑤ 정기적으로 요가를 연습하는 것은 마음을 편안하게 한다.

⑥ 새로운 문화를 탐험하는 것은 우리의 시야를 넓힌다.

⑦ 맛있는 쿠키를 굽는 것은 가족에게 기쁨을 가져다준다.

⑧ 새로운 어휘 단어를 배우는 것은 언어 능력을 향상시킨다.

⑨ 지역 보호소에서 자원봉사하는 것은 충족감을 주는 경험이다.

⑩ 다른 나라로 여행하는 것은 우리를 다양한 시각으로 노출시킨다.

▌해설

위 예문에는 '동사원형ing'가 있는 구문은 문장의 주어(~가)나 목적어 (~를)의 역할을 한다. 예를 들어 예문 ①, ②, ④에서는 목적어(~를)의 내용을 전달하고 있고 나머지 예문에서는 주어 (~가)의 내용을 전달하고 있다.

▌어휘

fit 건강한 appreciate 감사히 여기다 receive 받다 thoughtful 배려심 깊은 regularly 규칙적으로 relax 편안하게 하다 explore 탐험하다 culture 문화 broaden 넓히다 horizon 시야 vocabulary 어휘 improve 향상시키다 language 언어 volunteer 자원봉사하다 local 지역의 shelter 보호소 fulfill 충족감을 주다 expose 노출시키다 diverse 다양한 perspective 시각

Day 13. 상상 말하기 (가정법)

p. 95

연습문제 1.

┃정답

ⓐ will / ⓑ decides / ⓒ comes up

┃해석

만약 그녀가 일을 일찍 끝내면, 오늘 밤 영화를 함께 볼 것이다. 우리는 모두 그 영화에 대해 기대하고 있으며, 그녀를 위해 자리를 따로 비워 두었다. 그녀의 상사가 갑작스런 일을 시키지 않으면, 그녀는 우리와 함께 영화를 즐기고 휴식할 기회가 있을 것이다. 우리는 그 영화에 대한 훌륭한 평가를 들었고, 그녀가 참석할 수 있기를 바란다. 그녀가 오기로 결정하면, 우리는 팝콘을 가져와 저녁을 즐겁고 기억에 남는 시간으로 만들 것이다. 그러나 예상치 못한 일이 생긴다면, 우리는 이해하고 나중에 그녀에게 모든 재미있는 부분을 알려줄 것이다.

┃해설

주어진 글은 오늘 저녁에 일어날 일(미래)에 대한 상상이다. 그래서 상상임을 표시하기 위해 동사 모양을 "이전 시제"인 현재형(미래의 이전 시제는 현재)을 빌려와 사용한다. 그래서 주어진 글에서 if절 (조건절: ~이라면) 안의 동사들은 모두 현재형으로 바뀌고 결과를 나타내는 주절(~일 텐데)에서 would(과거형)가 아니라 will(현재형)을 쓴다.

┃어휘

just in case 혹시나 해서   last-minute 막바지   task 업무   opportunity 기회   review 후기   make it 해내다   decide 결심하다   grab 잡다   memorable 기억에 남는   unexpected 예상치 못한   come up 일어나다   fill A in on B   A에게 B에 대해 알려주다

p. 95

연습문제 2.

┃정답

ⓐ arrives / ⓑ goes

┃해석

만약 기차가 정시에 도착한다면, 나는 어떤 문제도 없이 회의에 도착할 것이다. 나는 경로를 신중하게 계획했고, 모든 것이 순조롭게 진행된다면 프로젝트 업데이트를 팀에 제시할 수 있을 것이다. 필요한 문서와 슬라이드를 준비했으니, 발표가 잘 되면 상급자들로부터 긍정적인 피드백도 받을 것이다.

┃해설

주어진 글은 곧 일어날 일(미래)에 대한 상상이다. 그래서 상상임을 표시하기 위해 동사 모양을 "이전 시제"인 현재형(미래의 이전 시제는 현재)을 빌려와 사용한다. 그래서 주어진 글에서 if절 (조건절: ~이라면) 안의 동사들은 모두 현재형으로 바꾸고 결과를 나타내는 주절(~일 텐데)에서 would(과거형)이 아니라 will(현재형)을 쓴다.

▌어휘

on time 제 시간에   make it to~ ~에 제 시간에 도착하다   issue 문제   route 경로
smoothly 순조롭게   present 제시하다   prepare 준비하다   necessary 필요한   document
서류   lead to ~로 이어지다   positive 긍정적인   higher-ups 상급자들

p. 96

연습문제 3.

▌정답

ⓐ had attended/ ⓑ might / ⓒ could have danced

▌해석

만약 내가 지난해 그 음악 축제에 참석했다면, 내가 좋아하는 몇몇 밴드들의 라이브 공연을 볼
수 있었을 것이다. 나는 티켓을 사야 할지 고민했던 기억이 있는데, 만약 내가 갔었다면, 나는
기억에 남는 공연을 보고 음악 애호가 친구들과 함께 즐거움을 나눌 수 있었을 것이다. 내가 사
랑하는 아티스트들의 곡에 춤을 출 수도 있었고, 오랫동안 기억될 추억을 만들 수 있었을 것이
다. 안타깝게도, 상황이 나를 가지 못하게 했고, 나는 잊지 못할 주말을 놓치게 되었다.

▌해설

주어진 글은 작년(과거)에 대한 상상이다. 그래서 상상임을 표시하기 위해 동사 모양을 "이전
시제"인 대과거/과거완료(had -ed)형 (과거보다 이전시제는 대과거)을 빌려와 사용한다. 그래
서 주어진 글에서 if절 (조건절: ~이라면) 안의 동사들은 모두 대과거/과거완료형으로 바꾸고
결과를 나타내는 주절(~였을 텐데)에서도 could have -ed (대과거형/과거 완료형)을 쓴다.

▌어휘

attend 참여하다   live 라이브로   debate 논쟁하다   whether ~인지 아닌지   witness 목격하
다   memorable 기억할 만한   share 공유하다   excitement 흥분   enthusiast 애호가   tune
곡조   beloved 사랑하는   artist 예술가   creat 만들다   lasting 오래 지속되는
unfortunately 불행히도   circumstances 상황   prevent A from B A가 B하는 것을 못하
게 하다   miss out on~ ~에 대해 놓치다   unforgettable 잊지 못할

p. 96

연습문제 4.

▌정답

ⓐ finish / ⓑ I'll have / ⓒ plays

▌해석

내가 할 일을 일찍 끝내면, 오늘 밤 게임에 함께할 거야. 나는 이 경기를 많이 기다려왔고, 내
가 모든 일을 끝내면, 나는 걱정 없이 게임을 즐기고 휴식할 시간이다. 만약 우리 팀이 잘 해서
승리를 거두면, 우리의 기분이 분명히 좋아질 것이다. 나는 나눠 먹을 간식을 가져올 거고, 만
약 경기장 분위기가 활기차면, 그것은 잊지 못할 경험이 될 것이다. 그러나 일 때문에 바쁘게
되면, 나는 게임을 놓쳐야 할 것이다. 그래도 나는 집에서 우리 팀을 응원할 거다.

해설

주어진 글은 오늘 저녁에 일어날 일(미래)에 대한 상상이다. 그래서 상상임을 표시하기 위해 동사 모양을 "이전 시제"인 현재형(미래의 이전 시제는 현재)을 빌려와 사용한다. 그래서 주어진 글에서 if절 (조건절: ~이라면) 안의 동사들은 모두 현재형으로 바뀌고 결과를 나타내는 주절(~일 텐데)에서 will도 would(과거형)이 아니라 will(현재형)을 쓴다.

어휘

chore 허드렛 일   eagerly 열심히   match 시합   manage to 그럭저럭 해내다   complete 완성하다   task 일   secure 확신하다 victory 승리   definitely 확실히   boost 향상시키다   spirit 기분   snack 간식   atmosphere 분위기   energetic 에너지가 넘치는   get held up with ~에 붙잡히다   responsibility 책임감, 일   cheer 응원하다

p. 97

연습문제 5.

정답

ⓐ had /ⓑ would / ⓒ would / ⓓ could / ⓔ is

해석

만약 내가 더 많은 여가 시간이 있다면, 내가 꿈꾸던 모든 장소를 여행할 것이다. 나는 항상 다른 나라를 탐험하고 새로운 문화에 몰두하는 것을 원했다. 만약 일과 다른 책임이 없었다면, 나는 비행기 표를 예약하고 흥미진진한 모험을 떠날 것이다. 나는 역사적인 명소를 방문하고, 이국적인 음식을 맛보고, 다양한 삶의 모습을 만날 것이다. 만약 내가 어떤 목적지든 선택할 수 있다면, 아마도 유럽을 여행하는 것으로 시작할 것이다. 그러나 현재 일정이 바쁘기 때문에, 일시적으로 가까운 곳으로의 주말 여행으로 만족해야 할 것이다.

해설

주어진 글은 곧 일어날 일(미래)에 대한 상상이다. 그래서 상상임을 표시하기 위해 동사 모양을 "이전 시제"인 현재형(미래의 이전 시제는 현재)을 빌려와 사용한다. 그래서 주어진 글에서 if절 (조건절: ~이라면) 안의 동사들은 모두 현재형으로 바꾸고 결과를 나타내는 주절(~일 텐데)에서 would(과거형)이 아니라 will(현재형)을 쓴다. 한편 ⓔ는 현재 상황에 대한 사실을 말하는 것이라 'were'가 아닌 현재형 'is'를 써야 한다.

어휘

explore 탐험하다 immerse 몰두하다   culture 문화   commitment 헌신 responsibility 책임감   book 예약하다   flight 비행   set off 시작하다   adventure 모험   historic 역사적인 landmark 명소   exotic 이국적인   cuisine 요리   from all walks of life 다양한 destination 목적지   tour 여행   take in 감상하다 stunning 놀라운   architecture 건축물 current 현재의   settle for 만족하다   occasional 이따금의   getaway 여행   nearby 근처

p. 97

정답

ⓐ were / ⓑ would / ⓒ don't / ⓓ can

해석

만약 내가 재능있는 음악가라면, 나는 사람들의 마음을 감동시키는 아름다운 멜로디를 작곡할 것이다. 나는 항상 음악이 감정을 불러일으키고 사람들을 연결하는 방식을 존경했다. 만약 여러 악기를 연주하고 복잡한 작곡을 쓸 재능이 있다면, 나는 영감을 주고 격려하는 노래를 만드는 시간을 보낼 것이다. 나는 다른 예술가들과 협업하여 폭넓은 청중에 공감되는 조화로운 곡을 창작할 것이다. 비록 나는 그런 수준의 음악적 능력이 없지만, 여전히 전 세계의 재능있는 음악가들의 작품을 감상하고 즐길 수 있다.

해설

주어진 글은 현재 상황(현재)에 대한 상상이다. 그래서 상상임을 표시하기 위해 동사 모양을 "이전 시제"인 과거형(현재의 이전시제는 과거)을 빌려와 사용한다. 그래서 주어진 글에서 if절 (조건절: ~이라면) 안의 동사들은 모두 과거형으로 바뀌고 결과를 나타내는 주절(~일 텐데)에서도 will 대신 would(과거형)을 쓴다. 한편 ⓒ와 ⓓ가 속한 문장은 현실 상황에 대한 사실을 말하는 부분이라 원래대로 현재형을 쓴다.

어휘

skilled 능숙한   musician 음악가 admire 존경하다 evoke 일으키다   emotion 감정 connect 연결시키다 multiple 많은 instrument 악기, 도구 intricate 섬세한 compositin 작곡 craft 작곡하다 inspire 영감을 주다 uplift 격려하다 collaborate 협업하다 resonate 공감되다 audience 청중 appreciate 감상하다

p. 98

정답

ⓐ lived / ⓑ would / ⓒ resided / ⓓ were / ⓔ would / ⓕ live / ⓖ try

해석

따뜻한 기후에서 살았다면, 나는 더 많은 시간을 야외에서 보내고 다양한 야외 활동에 참여할 것이다. 나는 종종 생각해왔다. 만약 더 따뜻한 겨울과 긴 여름이 있는 곳에 살았다면 내 삶은 얼마나 다르게 될지에 대해. 날씨가 지속적으로 쾌적하다면, 나는 하이킹을 가거나 소풍을 하거나 심지어 서핑을 배울 것이다. 나는 내 주변의 자연 아름다움을 최대한 즐기고 활동적인 삶을 수용할 것이다. 그러나 현재 나는 추운 지역에 살고 있기 때문에, 겨울 스포츠와 아늑한 실내 활동을 즐기며 계절을 최대한 즐기려고 노력한다.

해설

주어진 글은 현재 상황(현재)에 대한 상상이다. 그래서 상상임을 표시하기 위해 동사 모양을 "이전 시제"인 과거형(현재의 이전 시제는 과거)을 빌려와 사용한다. 그래서 주어진 글에서 if 절 (조건절: ~이라면) 안의 동사들은 모두 과거형으로 바뀌고 결과를 나타내는 주절(~일 텐데)에서도 will 대신 would(과거형)을 쓴다. 한편 ⓕ와 ⑧가 속한 문장은 현실 상황에 대한 사실을 말하는 부분이라 원래대로 현재형을 쓴다.

어휘

climate 기후 engage in ~에 참여하다 various 다양한 reside 거주하다 consistently 계속해서 pleasant 쾌적한 surf 서핑하다 embrace 수용하다 currently 현재 region 지역 cozy 아늑한 indoor 실내의

p. 98

연습문제 8.

정답

ⓐ had / ⓑ could sit / ⓒ could / ⓓ would

해석

내가 내가 좋아하는 작가를 만날 기회가 있다면, 나는 그들의 작품 뒤에 숨겨진 글쓰기 과정과 이야기에 담긴 영감에 대해 물어볼 것이다. 그들의 책을 읽는 것은 언제나 나를 다른 세계로 이동시켜 왔으며, 만약 나가 그들과 앉아 대화할 수 있다면, 나는 그들의 작품에 대한 감탄을 표현할 것이다. 나는 그들이 캐릭터의 성장과 어떻게 몰입감을 주는 설정을 만드는지에 대해 탐구할 것이다. 우리가 대화할 수 있다면, 그것은 꿈이 이루어진 것이 될 것이다. 그러나, 내가 그 기회를 절대 얻지 못한다 하더라도, 그들의 글쓰기는 내 창의성과 이야기에 대한 사랑에 영감을 계속 줄 것이다.

해설

주어진 글은 현재 상황(현재)에 대한 상상이다. 그래서 상상임을 표시하기 위해 동사 모양을 "이전 시제"인 과거형(현재의 이전 시제는 과거)을 빌려와 사용한다. 그래서 주어진 글에서 if 절 (조건절: ~이라면) 안의 동사들은 모두 과거형으로 바뀌고 결과를 나타내는 주절(~일 텐데)에서도 will 대신 would(과거형)을 쓴다.

어휘

author 작가 process 과정 inspiration 영감 transport 이동시키다 admiration 감탄 inquire 질문하다 development 성장 immersive 몰입감을 주는 setting 설정, 배경 opportunity 기회 inspire 영감을 주다 creativity 창의성

p. 99

연습문제 9.

정답

ⓐ had studied / ⓑ had chosen / ⓒcould have been

| 해석

만약 대학교에서 건축을 공부했다면, 오늘날 혁신적인 건물을 설계하고 있을지도 모르겠다. 과거를 돌이켜보면, 어떤 길을 선택했을지 궁금해진다. 건축에 대한 흥미를 추구했다면, 도시의 스카이라인을 형성하고 기능성과 미적인 매력을 결합하는 프로젝트에 참여하고 있을지도 모른다. 내가 어쩌면 지속가능한 구조물과 도시 공간을 재정의하는 팀의 일부가 될 수도 있었다. 그러나 내가 경제학을 공부하기로 결정한 것은 다른 길로 인도했다. 내 선택을 후회하지는 않지만, 건축적 포부를 따르지 않은 대안적 현실을 상상할 수밖에 없다.

| 해설

주어진 글은 과거 상황(과거)에 대한 상상이다. 그래서 상상임을 표시하기 위해 동사 모양을 "이전 시제"인 대과거형을 빌려와 사용한다. 그래서 주어진 글에서 if절 (조건절: ~이라면) 안의 동사들은 모두 대과거형(had + -ed)으로 바꾸고 결과를 나타내는 주절(~일 텐데)에서도 대과거형 (would have -ed)을 쓴다.

| 어휘

architecture 건축학   innovative 혁신적인   unfold 펼쳐지다   path 길, 경로   pursue 추구하다   blend 섞다   functionality 기능성   aesthetic 미적인   appeal 매력   sustainable 지속가능한   redefine 재정의하다   urban 도시의   decision 결정   economics 경제학   regret 후회하다   alternate 대안적인   aspiration 포부

p. 99

연습문제 10.

| 정답

ⓐ had taken / ⓑ had accepted / ⓒ might

| 해석

해외에서 그 직장 제안을 받았다면, 나는 완전히 다른 문화와 생활 방식을 경험했을지도 모른다. 외국에서 일할 기회가 생겼을 때, 나는 가능성을 고려했다. 만약 그 제안을 받았다면, 나는 새로운 언어를 배우고 국제적인 친구를 사귈 수도 있었고, 다양한 생활 방식에 대한 통찰력을 얻었을지도 모른다. 난생처음으로 베일을 벗어난 도시를 탐험하고, 전 세계적인 공동체에 몸을 담갔을 것이다. 그러나 나는 개인적인 이유로 현 직장에 남기로 결정했다. 그 경험들이 어떠했을지는 알 수 없겠지만, 나는 여기서 쌓아 올린 삶에 만족한다.

| 해설

주어진 글은 과거 상황(과거)에 대한 상상이다. 그래서 상상임을 표시하기 위해 동사 모양을 "이전 시제"인 대과거형(과거의 이전 시제는 대과거)을 빌려와 사용한다. 그래서 주어진 글에서 if절 (조건절: ~이라면) 안의 동사들은 모두 대과거형(had + -ed)으로 바꾸고 결과를 나타내는 주절(~일 텐데)에서도 대과거형 (would have -ed)을 쓴다.

| 어휘

job offer 직장 제안   completely 완전히   culture 문화   arise 생기다   accept 받아들이다   gain 얻다   insight 통찰력   diverse 다양한   explore 탐험하다   immerse 몰입시키다   content with 만족하다